Οδός γραμματικής

Οδός γραμματικής

για την εκμάθηση της ελληνικής γλώσσας

ΠΑΝΑΓΙΩΤΗΣ ΜΑΚΡΟΠΟΥΛΟΣ • ΜΑΧΗ ΜΟΝΤΖΟΛΗ
ΝΙΚΟΣ ΡΟΥΜΠΗΣ • ΒΙΒΙΑΝΑ ΤΖΟΒΑΡΑ

εκδόσεις δέλτος

Πρόλογος

Η γραμματική μιας γλώσσας είναι απαραίτητη για να οργανώσουμε τον λόγο μας και για να δημιουργήσουμε απλές φράσεις και σύνθετα κομμάτια λόγου. Όποιος έχει διδαχτεί μια ξένη γλώσσα γνωρίζει τη διαδικασία εκμάθησης της γραμματικής της, μια διαδικασία που είναι ιδιαίτερα απαιτητική, ειδικά για γλώσσες όπως η Ελληνική.

Η Οδός γραμματικής παρουσιάζει τα πιο σημαντικά γραμματικά φαινόμενα της ελληνικής γλώσσας με τρόπο απλό και φιλικό προς τον αναγνώστη-μαθητή. Παράλληλα, παρέχει οργανωμένη πρόταση διδασκαλίας της γραμματικής στον δάσκαλο. Στην πραγματικότητα πρόκειται για έναν οδηγό-βοηθό γραμματικής τόσο για τον μαθητή που είτε μαθαίνει τα Ελληνικά ως δεύτερη ή ξένη γλώσσα είτε είναι φυσικός ομιλητής, όσο και για τον δάσκαλο της Ελληνικής σε Έλληνες και ξενόγλωσσους μαθητές.

Στο βιβλίο αυτό παρουσιάζονται σε χωριστά κεφάλαια:
το Άρθρο, το Ουσιαστικό, το Επίθετο, το Επίρρημα, η Αντωνυμία, το Ρήμα, η Μετοχή, οι Προθέσεις, και οι Προτάσεις (κύριες και δευτερεύουσες).
Επιπλέον, στο τέλος του βιβλίου περιέχονται Βασικοί Κανόνες Ορθογραφίας και Γλωσσάρι στα Αγγλικά, Γαλλικά, Γερμανικά, Ισπανικά, Ιταλικά, Ρωσικά και Αραβικά.

Τα γραμματικά φαινόμενα περιγράφονται με σαφείς κανόνες, αναλυτικούς πίνακες, κατηγοριοποιημένες εξαιρέσεις, απλές επεξηγήσεις σε δύσκολα ζητήματα, επισημάνσεις για την αποφυγή των πιο συνηθισμένων λαθών και χρηστικά παραδείγματα. Η παρουσίαση γίνεται με απλή και κατανοητή γλώσσα σταδιακά από τα πιο απλά στα πιο σύνθετα.

Για την άντληση ιδεών χρησιμοποιήσαμε διάφορες πηγές, όπως τις ήδη υπάρχουσες γραμματικές για τη Νέα Ελληνική, εγχειρίδια της Νέας Ελληνικής ως ξένης γλώσσας, τα Αναλυτικά Προγράμματα διδασκαλίας της Νέας Ελληνικής ως ξένης γλώσσας του Πανεπιστημίου Αθηνών, καθώς και τις συχνά εύστοχες ερωτήσεις και παρατηρήσεις των μαθητών μας.

Τέλος, να σημειώσουμε ότι η ύλη του βιβλίου δοκιμάστηκε στις πολυπολιτισμικές τάξεις του Διδασκαλείου της Νέας Ελληνικής ως Ξένης Γλώσσας του Πανεπιστημίου Αθηνών, σε σχολικές τάξεις στο πλαίσιο της συνεργασίας μας με το πρόγραμμα «Διάπολις» του Αριστοτελείου Πανεπιστημίου Θεσσαλονίκης και στις τάξεις ενηλίκων του προγράμματος «Οδυσσέας» του Ινστιτούτου Νεολαίας και Δια Βίου Μάθησης του Υπουργείου Παιδείας.

Οι Συγγραφείς

« *Ευχαριστούμε θερμά τη Φρόσω και τον Κλεάνθη Αρβανιτάκη για την έμπρακτη στήριξη στο όλο μας εγχείρημα, για την επιμέλεια, τις πολύτιμες συμβουλές και τις ουσιώδεις παρατηρήσεις τους.*
Σε ό,τι αφορά το γλωσσάρι, ευχαριστούμε τους Γιάννη Κατσαούνη, Leonora Moreleón και Pedro Romero Puig, Σιμέλα Μαλινίδου, για την απόδοση στα Γερμανικά, Ισπανικά και Ρωσικά αντίστοιχα, καθώς και τους Zena Mouthlege και Ahmad Bani Khaled για την απόδοση και επιμέλεια στα Αραβικά.

Οι συγγραφείς »

Τίτλος βιβλίου: Οδός Γραμματικής
Υπότιτλος: Για την εκμάθηση της ελληνικής γλώσσας
Συγγραφείς: Παναγιώτης Μακρόπουλος, Μάχη Μοντζολή, Νίκος Ρουμπής, Βιβιάνα Τζοβάρα

ISBN 978-960-7914-43-9
Πρώτη έκδοση: Οκτώβριος 2014
Επιμέλεια έκδοσης: Κλεάνθης Αρβανιτάκης, Φρόσω Αρβανιτάκη
Σχεδιασμός εξώφυλλου και βιβλίου: Τάσος Χαλκιόπουλος, www.diptyk.com
Εκτύπωση: Φωτόλιο - Typicon Α.Ε.
Βιβλιοδεσία: Θ. Ηλιόπουλος - Π. Ροδόπουλος Ο.Ε.

ΠΕΡΙΕΧΟΜΕΝΑ

Σύμβολα και Συντομογραφίες

⚠	**Προσοχή**, κάτι σημαντικό που δεν πρέπει να ξεχάσω, εξαίρεση
👁→	Πήγαινε στη σελίδα...
✎	Πληροφορίες για τον τόνο
↔	Αντίθετο
Α	Αρσενικό
Θ	Θηλυκό
Ο	Ουδέτερο
Ε	Επίθετο
π.χ.	παραδείγματος χάριν (για παράδειγμα)
κ.ά.	και άλλα
κτλ.	και τα λοιπά

Κεφάλαιο 1: Το Άρθρο

Τα άρθρα είναι μικρές λέξεις που βρίσκουμε συνήθως μπροστά από τα ουσιαστικά. Συμφωνούν πάντα σε γένος, αριθμό και πτώση μαζί τους.

1.1 ΟΡΙΣΤΙΚΟ ΑΡΘΡΟ

1.1.1 Κλίση του Οριστικού Άρθρου

Οριστικό Άρθρο			
Ενικός Αριθμός			
	Αρσενικό	**Θηλυκό**	**Ουδέτερο**
Ονομαστική **Γενική** **Αιτιατική**	ο του τον	η της την	το του το
Πληθυντικός Αριθμός			
Ονομαστική **Γενική** **Αιτιατική**	οι των τους	οι των τις	τα των τα

1.1.2 Βασικές Χρήσεις του Οριστικού Άρθρου

1.	**Κάτι συγκεκριμένο και γνωστό** Είδα **τον** καθηγητή μου. *(=έχω έναν καθηγητή και ξέρουμε για ποιον μιλάμε)* **Η** Μαρία πήγε σινεμά με **τον** Γιώργο. *(=ξέρουμε την Μαρία, ξέρουμε και τον Γιώργο)*
2.	**Κύριο όνομα για κάτι μοναδικό** **Το** Παρίσι είναι σ**τη** Γαλλία. **Η** Γη είναι πλανήτης.
3.	**Προσδιορισμός του χρόνου** (👁→18) Τον γνώρισα **τη** Δευτέρα. Μπήκα στο πανεπιστήμιο **το** 2001.

4.	**αυτός/εκείνος/όλος + άρθρο + ουσιαστικό** Αυτός **ο** άνδρας είναι ηθοποιός. Έφαγα όλο **το** φαγητό. (⊙→67, 77)
5.	**Σχετικός Υπερθετικός** (⊙→46) Η Κρήτη είναι **το** πιο μεγάλο νησί της Ελλάδας.

1.2 ΑΟΡΙΣΤΟ ΑΡΘΡΟ

1.2.1 Κλίση του Αόριστου Άρθρου

Αόριστο Άρθρο			
	Αρσενικό	**Θηλυκό**	**Ουδέτερο**
Ονομαστική	ένας	μια/μία	ένα
Γενική	ενός	μιας/μίας	ενός
Αιτιατική	ένα(ν)	μια/μία	ένα

Το αόριστο άρθρο δεν έχει πληθυντικό αριθμό.

1.2.2 Βασική Χρήση του Αόριστου Άρθρου

Κάτι μη συγκεκριμένο ή άγνωστο
Με πήρε τηλέφωνο **ένας** φίλος μου.
(=*έχω πολλούς φίλους και μάλλον δεν ξέρεις για ποιον μιλάω*)
Αγόρασα **έναν** καφέ.

1.3 ΧΩΡΙΣ ΑΡΘΡΟ

Πολλές φορές χρησιμοποιώ τις λέξεις χωρίς άρθρο, για να δηλώσω κάτι μη συγκεκριμένο.

Πήγα για ψώνια και αγόρασα ***ρούχα****.*

Ήπια ***καφέ*** *το πρωί.*

Σε κάποιες περιπτώσεις μπορώ να χρησιμοποιήσω στη θέση του άρθρου και κάποιες αντωνυμίες.

Έδωσα ***μερικά*** *ρούχα σε* ***κάτι*** *φτωχά παιδιά.*

Υπάρχουν και αρκετές περιπτώσεις που πρέπει να **μην** βάλω άρθρο.

1.	**Φράσεις: με λένε, ονομάζομαι, λέγομαι** Με λένε **Γιώργο**. Ονομάζομαι/Λέγομαι **Γιώργος**.
2.	**Το Κατηγορούμενο, όταν δείχνει μια γενική ιδιότητα** (⊙→17) Είμαι **Έλληνας**. Ο Γιάννης έγινε **γιατρός**.
3.	**Κλητική** (⊙→19) **Μαρία**, έλα λίγο εδώ. **Κύριε Παπαδόπουλε**, περάστε παρακαλώ.
4.	**Αιτιατική του περιεχομένου** (⊙→18) Θέλω ένα ποτήρι **κρασί**. Έφαγα ένα πιάτο **μουσακά**.
5.	**Γενική που δηλώνει όνομα δρόμου/πλατείας/ιδρύματος κτλ.** (⊙→19) η οδός **Πανεπιστημίου** η πλατεία **Συντάγματος** το αστυνομικό τμήμα **Κυψέλης**
6.	**Συγκριτικός Βαθμός Επιθέτων** (⊙→44) Η Ρωσία είναι **μεγαλύτερη** από την Ελλάδα.
7.	**Εκφράσεις με το «έχω»** έχω δίκιο/άδικο, έχω κέφι, έχω μάθημα, έχω όρεξη, έχω πονοκέφαλο/γρίπη/ίωση, έχω σκοπό να, έχω διάβασμα, έχω χρόνο, έχει σημασία, έχω σήμα, έχει πλάκα, Έχεις (ένα) τσιγάρο;, Έχεις αναπτήρα/φωτιά; κ.ά.
8.	**Εκφράσεις με το «κάνω»** κάνω αγγλικά/πιάνο/κιθάρα, κάνω μάθημα, κάνω μπάνιο, κάνω ποδήλατο/γυμναστική, κάνω φασαρία, κάνω πλάκα, κάνει ζέστη/κρύο κ.ά.
9.	**Εκφράσεις με το «πάω/πηγαίνω»** πάω βόλτα, πάω σχολείο (=είμαι μαθητής), πάω για κολύμβηση, πάω για τρέξιμο, πάω για τσιγάρο κ.ά.
10.	**Εκφράσεις με το «παίζω»** παίζω ποδόσφαιρο/μπάσκετ/τένις, παίζω πιάνο/κιθάρα, παίζω χαρτιά κ.ά.
11.	**Εκφράσεις με το «μαθαίνω»** μαθαίνω Αγγλικά/Ελληνικά, μαθαίνω πιάνο/κιθάρα, μαθαίνω οδήγηση, μαθαίνω κολύμπι κ.ά. **Αλλά**: μαθαίνω την αλήθεια, μαθαίνω τα νέα
12.	**Άλλες εκφράσεις** βλέπω τηλεόραση, ακούω ραδιόφωνο, παίρνω τηλέφωνο, θέλω νερό, θέλω (ένα) γλυκό, θέλω (έναν) καφέ κ.ά.

1.4 ΔΥΣΚΟΛΕΣ ΧΡΗΣΕΙΣ ΤΟΥ ΑΡΘΡΟΥ

	Δύσκολες χρήσεις του Οριστικού Άρθρου
1.	**Όταν μιλάμε γενικά για μια ολόκληρη κατηγορία** **Το** λιοντάρι είναι ο βασιλιάς των ζώων. **Ο** σκύλος είναι ο καλύτερος φίλος του ανθρώπου.
2.	**Όταν μιλάμε για μια αφηρημένη έννοια** **Η υγεία** είναι το σημαντικότερο πράγμα στη ζωή.
3.	**Με την αυτοπαθή αντωνυμία «ο εαυτός μου»** (⊙→68) Η Μαρία προσέχει πολύ **τον** εαυτό της.
4.	**Με την αλληλοπαθή αντωνυμία «ο ένας τον άλλο»** Οι γονείς μου αγαπάνε **ο** ένας **τον** άλλο.
5.	**Επανάληψη** Πηγαίνω σινεμά δύο φορές **την** εβδομάδα.
6.	**Αναλογία** Οι ντομάτες κάνουν 2 ευρώ **το** κιλό. Το αυτοκίνητό μου τρέχει με 200 χιλιόμετρα **την** ώρα.
7.	**Πριν (όχι υποχρεωτικά) και μετά (υποχρεωτικά) από ποσοστά και κλάσματα** **(Το)** 20% **των** Ελλήνων είναι άνεργοι. **(Το)** ένα πέμπτο (1/5) **των** Ελλήνων είναι άνεργοι. (⊙→19)
8.	**σαν + Αιτιατική / όπως + Ονομαστική** (⊙→171) Μιλάει Ελληνικά σαν **τον** δάσκαλο. Μιλάει Ελληνικά όπως **ο** δάσκαλος.

	Δύσκολες χρήσεις του Αόριστου Άρθρου
1.	**Κύριο όνομα προσώπου που δεν το γνωρίζω** Σε ζητάει **ένας** κύριος Παπαδόπουλος.
2.	**Προσδιορισμός του χρόνου, όταν δεν θυμάμαι πότε ακριβώς έγινε κάτι (ή δεν έχει σημασία)** Τον γνώρισα **μία** Δευτέρα. Θυμάμαι **ένα** καλοκαίρι που είχε 45 βαθμούς.
3.	**Η πρώτη φορά που αναφέρω κάτι νέο και άγνωστο** Είχα παλιά **έναν** φίλο. Τον έλεγαν Γιώργο. Με τον Γιώργο πηγαίναμε μαζί σχολείο.

	Δύσκολες περιπτώσεις που δεν βάζω Άρθρο
1.	**Μέσο** (όχι υποχρεωτικά) ή **Υλικό** (σχεδόν πάντα) Συνήθως ταξιδεύω με (το) **αεροπλάνο**. Ο Παρθενώνας είναι φτιαγμένος από **μάρμαρο**.
2.	**σαν + Ονομαστική** (για κάτι μη συγκεκριμένο) Μιλάει Ελληνικά σαν **Έλληνας**.
3.	**Αντικείμενο ρημάτων με γενική σημασία** Τρώω κρέας. / Χρειάζομαι χρόνο. / Έχω λεφτά.
4.	**Εκφράσεις με το «δεν» και με σημασία «κανένας» ή «τίποτα»** Δεν λέει **κουβέντα**. Δεν υπάρχει **φαγητό** στο σπίτι. Δεν ήρθε **άνθρωπος**.

Κεφάλαιο 2: Το Ουσιαστικό

Τα ουσιαστικά είναι λέξεις που δίνουν όνομα σε ένα πρόσωπο (άντρας, Ελένη), ζώο (γάτα), πράγμα (τραπέζι), τόπο (Ελλάδα), ιδέα (ελευθερία), κατάσταση (κίνδυνος), ενέργεια (γράψιμο) κ.ά.

2.1 ΤΑ ΧΑΡΑΚΤΗΡΙΣΤΙΚΑ ΤΟΥ ΟΥΣΙΑΣΤΙΚΟΥ

Κάθε ουσιαστικό και γενικά κάθε ονοματικό στοιχείο της ελληνικής γλώσσας (άρθρο, ουσιαστικό, επίθετο, αντωνυμία, παθητική μετοχή) έχει γένος, αριθμό και πτώση. Τις πληροφορίες αυτές τις βλέπουμε συνήθως στην κατάληξη.

2.1.1 Γένος και Αριθμός

Η ελληνική γλώσσα έχει τρία γένη: το **αρσενικό**, το **θηλυκό** και το **ουδέτερο**.
Η ελληνική γλώσσα έχει δύο αριθμούς, τον **ενικό** και τον **πληθυντικό**. Χρησιμοποιώ τον ενικό αριθμό, όταν μιλάω για ένα στοιχείο ή ένα σύνολο. Χρησιμοποιώ τον πληθυντικό αριθμό, όταν μιλάω για δύο ή περισσότερα στοιχεία ή σύνολα.

2.1.2 Πτώσεις

Τα άρθρα, τα ουσιαστικά, τα επίθετα, οι αντωνυμίες και οι παθητικές μετοχές στα Νέα Ελληνικά έχουν μέχρι τέσσερις διαφορετικές μορφές, που λέγονται πτώσεις (Ονομαστική, Γενική, Αιτιατική, Κλητική). Επιλέγουμε την πτώση της λέξης ανάλογα με τη λειτουργία της μέσα στην πρόταση (π.χ. Υποκείμενο → Ονομαστική).

Ονομαστική

Υποκείμενο: Το υποκείμενο είναι συνήθως ένα ουσιαστικό (ή αντωνυμία) που πάει μαζί με το ρήμα και δηλώνει **ποιος** κάνει αυτό που σημαίνει το ρήμα ή **ποιος** παθαίνει αυτό που σημαίνει το ρήμα ή **ποιος** βρίσκεται στην κατάσταση που σημαίνει το ρήμα.

Ο Γιώργος *πηγαίνει στο σχολείο.*

Η Μαρία *αρρώστησε.*

Το παιδί *κοιμάται.*

Το φαγητό *μαγειρεύτηκε.*

(Εγώ) *θέλω ένα παγωτό.*

- Το υποκείμενο του ρήματος είναι πάντα σε Ονομαστική και έχει πάντα τον ίδιο αριθμό (Ενικός–Πληθυντικός) και πρόσωπο (εγώ–εσύ–αυτός) με το ρήμα.
- Καταλαβαίνω το υποκείμενο από την κατάληξη του ρήματος. Έτσι, συχνά δεν γράφω καθόλου το υποκείμενο, όταν αυτό είναι γνωστό ή όταν είναι κάποιος τύπος της προσωπικής αντωνυμίας (εγώ, εσύ...).

*~~Εγώ~~ θέλ**ω** ένα παγωτό.*

Κατηγορούμενο: Κατηγορούμενο είναι συνήθως ένα ουσιαστικό ή επίθετο που δίνει ένα χαρακτηριστικό σε ένα άλλο ουσιαστικό. Τις περισσότερες φορές το κατηγορούμενο περιγράφει το υποκείμενο και πιο σπάνια το αντικείμενο.

Ο Γιώργος είναι **Έλληνας**.

Η Μαρία είναι **όμορφη**.

⚠ Το κατηγορούμενο έχει πάντα την ίδια πτώση με το ουσιαστικό που προσδιορίζει. Επειδή συνήθως πηγαίνει στο υποκείμενο, είναι σε πτώση Ονομαστική.

Ρήματα με ΚΑΤΗΓΟΡΟΥΜΕΝΟ (Συνδετικά):
είμαι, γίνομαι, φαίνομαι, εκλέγομαι, διορίζομαι, ονομάζομαι κ.ά.

Η Κατερίνα **φαίνεται** *χαρούμενη.*

Ο Χρήστος **έγινε** *καθηγητής.*

Αιτιατική

Αντικείμενο: Το αντικείμενο είναι μια λέξη (μερικές φορές και ολόκληρη πρόταση) που συμπληρώνει τη σημασία του ρήματος. Συνήθως δηλώνει το πρόσωπο **(ποιον)** ή το πράγμα **(τι)** που δέχεται την ενέργεια του ρήματος.

Ο Γιώργος πίνει **τον χυμό** *του.*

Η Μαρία παίρνει τηλέφωνο **την Ελένη**.

⚠ Στα Ελληνικά καταλαβαίνουμε ποιο ουσιαστικό είναι το υποκείμενο και ποιο το αντικείμενο **από την πτώση** και **όχι από τη θέση** του ουσιαστικού μέσα στην πρόταση. Γι' αυτό μπορούμε να αλλάζουμε σχετικά ελεύθερα τη σειρά των λέξεων χωρίς να αλλάζει και η σημασία. Συνήθως η σειρά είναι Υποκείμενο – Ρήμα – Αντικείμενο.

Η Μαρία πήρε τηλέφωνο την Ελένη. = Πήρε τηλέφωνο η Μαρία την Ελένη.
= Την Ελένη πήρε τηλέφωνο η Μαρία.

Μετά από προθέσεις: Μετά από τις περισσότερες προθέσεις θέλουμε ένα ουσιαστικό σε Αιτιατική. (👁→167)

Ταξίδεψα **από την** *Αθήνα* **στη** *Θεσσαλονίκη.*

Χρόνος: Χρησιμοποιώ την Αιτιατική για να δηλώσω πότε γίνεται κάτι.

Ο Γιώργος φεύγει **το** *πρωί.*

*(***τη** *Δευτέρα /* **τον** *Μάρτιο /* **τον** *χειμώνα /* **το** *2014 κτλ.)*

Αλλά: **στις** *2:00 /* **στις** *23 Δεκεμβρίου.*

Περιεχόμενο: Χρησιμοποιώ την Αιτιατική συνήθως χωρίς άρθρο για να πω τι έχει μέσα ένα πιάτο/ποτήρι/κουτί, μια μερίδα κ.ά.

Μου δίνεις ένα ποτήρι **κρασί***;*

Θέλω μια μερίδα **μουσακά***.*

Αναλογία: Χρησιμοποιώ την Αιτιατική με άρθρο για να εκφράσω αναλογία.

Οι ντομάτες κάνουν 2 ευρώ **το κιλό***.*

Η Ferrari τρέχει με 300 χιλιόμετρα **την ώρα***.*

⚠ Μερικές φορές η αναλογία εκφράζεται και με Ονομαστική.

Αυτές οι μπλούζες κοστίζουν 30 ευρώ **η μία***.*

Γενική

Σύνδεση ουσιαστικών: Όταν θέλουμε να συνδέσουμε δύο ουσιαστικά, τις περισσότερες φορές βάζουμε το δεύτερο σε Γενική. Σε αυτές τις περιπτώσεις η Γενική συνήθως δηλώνει:

- **Κτήση** (σε ποιον ανήκει κάτι)

  το βιβλίο **της Μαρίας** *– το κινητό* **του Γιώργου**

- **Κατηγορία/Είδος πράγματος**

  η κουρτίνα **(του) μπάνιου** *– το ποτήρι* **(του) κρασιού**

- **Ιδιότητα**

  ο καθηγητής **των μαθηματικών** *– ο Υπουργός* **Οικονομικών**

- **Συμπλήρωμα της σημασίας** (λειτουργία αντικειμένου ή υποκειμένου)

  Το διάβασμα αυτού **του βιβλίου** *με κούρασε πολύ.*
  (Διάβασα το βιβλίο και με κούρασε πολύ.)

  Η νίκη **του Παναθηναϊκού** *έμεινε στην ιστορία.*
  (Ο Παναθηναϊκός νίκησε και αυτό έμεινε στην ιστορία.)

Άλλες συνηθισμένες χρήσεις:

- **Ημερομηνία (μήνας)**

  Η γιορτή μου είναι στις 6 **Δεκεμβρίου***.*

- **Ηλικία**

  Είμαι 28 **χρονών***.*

⚠ **ενός χρόνου, τριών / τεσσάρων** / δεκα**τριών** / δεκα**τεσσάρων** / είκοσι **ενός** / είκοσι **τριών** κτλ. **χρονών.** (👁→52)

- **Ονόματα δρόμων και πλατειών**

  η οδός **Πανεπιστημίου** *– η πλατεία* **Ομονοίας**

- **Ονόματα κτηρίων** (πανεπιστημίων, ιδρυμάτων κ.ά.)

  το Πανεπιστήμιο **Θεσσαλονίκης** *– το αστυνομικό τμήμα* **Κυψέλης**

- **Μετά από ποσοστά**

  Το 30% **των Ελλήνων** *είναι άνεργοι.*

- **Προθέσεις:** Μερικές προθέσεις θέλουν για συμπλήρωμα Γενική. (👁→169)

  Είμαι κατά **των ναρκωτικών**.

Κλητική

Χρησιμοποιώ την Κλητική, όταν φωνάζω κάποιον ή όταν μιλάω σε κάποιον.

Νίκο, *πρέπει να φύγεις!*

Παιδί *μου, άκουσέ με.*

Η Κλητική δεν έχει **ποτέ** άρθρο. Πολύ συχνά, όμως, βάζω πριν από το ουσιαστικό τη λέξη **κύριος, -α** (κύριε – κυρία, κύριοι – κυρίες).

κύριε *Ζαλμά* – **κυρία** *Χριστίνα* – **κύριε** *πρόεδρε*

Η Κλητική είναι ίδια με την Αιτιατική στον ενικό αριθμό και με την Ονομαστική στον πληθυντικό αριθμό. Με διαφορετικό τρόπο σχηματίζουν την Κλητική ενικού τα περισσότερα αρσενικά και θηλυκά σε **-ος**.

Πατέρα, *έλα εδώ ! (ο πατέρας → ~~τον~~ πατέρα→πατέρα)*

Ελένη, *διάβασε το βιβλίο. (η Ελένη → ~~την~~ Ελένη→ Ελένη)*

Τα αρσενικά σε **-ος** έχουν τις περισσότερες φορές Κλητική ενικού σε **-ε**. Εξαίρεση αποτελούν τα **κύρια ονόματα** (μικρά και επώνυμα) που έχουν μόνο **δύο συλλαβές**.

Αλέξανδρε, *γιατί δεν απαντάς;*

Νίκο, *πού ήσουν;*

Κύριε Παπαδόπουλε, **κύριε** *Σπέντζ***ο**, *περάστε από εδώ.*

Με τον ίδιο τρόπο σχηματίζουν την Κλητική και λίγα θηλυκά σε **-ος**.

Κυρία **πρόεδρε**, *ακούστε με, σας παρακαλώ.*

Κάποιες φορές μερικά αρσενικά σε **-της** παίρνουν την παλαιότερη κατάληξη **-τα**.

Κύριε **καθηγητά** / *Κύριε* **διευθυντά**

2.2 ΟΜΑΔΕΣ ΟΥΣΙΑΣΤΙΚΩΝ

2.2.1 Γενικός Πίνακας Καταλήξεων (Ονομαστική Ενικού/Πληθυντικού)

Αρσενικά		Θηλυκά		Ουδέτερα	
Α1 **-ος** **-οι**	άνθρωπ**ος** άνθρωπ**οι**	Θ1 **-α** **-ες**	χώρ**α** χώρ**ες**	Ο1 **-ο** **-α**	ποδήλατ**ο** ποδήλατ**α**
Α2 **-ας** **-ες**	άντρ**ας** άντρ**ες**	Θ2 **-η** **-ες**	μύτ**η** μύτ**ες**	Ο2 **-ι** **-ια**	παιδ**ί** παιδ**ιά**
Α3 **-ης** **-ες**	φοιτητ**ής** φοιτητ**ές**	Θ3 **-η** **-εις**	λέξ**η** λέξ**εις**	Ο3 **-μα** **-ματα**	μάθη**μα** μαθή**ματα**
Α4 **-άς** **-άδες**	μπαμπ**άς** μπαμπ**άδες**	Θ4 **-ος** **-οι**	οδ**ός** οδ**οί**	Ο4 **-ος** **-η**	λάθ**ος** λάθ**η**
Α5 **-ης** **-ηδες**	μανάβ**ης** μανάβ**ηδες**	Θ5 **-ά** **-άδες**	μαμ**ά** μαμ**άδες**	Ο5 **-ιμο** **-ίματα**	τρέξ**ιμο** τρεξ**ίματα**
Α6 **-ές** **-έδες**	καφ**ές** καφ**έδες**	Θ6 **-ού** **-ούδες**	αλεπ**ού** αλεπ**ούδες**	Ο6 **-ον** **-οντα**	προϊ**όν** προϊ**όντα**
Α7 **-ούς** **-ούδες**	παππ**ούς** παππ**ούδες**	Θ7 **-ω**	Αργυρ**ώ** -		
Α8 **-έας** **-είς**	γραμματ**έας** γραμματ**είς**				

2.2.2 Αρσενικά

Α1 -ος, -οι

Ενικός Αριθμός			
Ονομαστική **Γενική** **Αιτιατική**	ο άνθρωπ**ος** του ανθρώπ**ου** τον άνθρωπ**ο**	ο σκύλ**ος** του σκύλ**ου** τον σκύλ**ο**	ο γιατρ**ός** του γιατρ**ού** τον γιατρ**ό**
Πληθυντικός Αριθμός			
Ονομαστική **Γενική** **Αιτιατική**	οι άνθρωπ**οι** των ανθρώπ**ων** τους ανθρώπ**ους**	οι σκύλ**οι** των σκύλ**ων** τους σκύλ**ους**	οι γιατρ**οί** των γιατρ**ών** τους γιατρ**ούς**
Το ίδιο και τα:	δάσκαλος κίνδυνος δήμαρχος έμπορος πόλεμος όροφος διάδρομος άνεμος	χώρος κήπος δρόμος φίλος λύκος γέρος δικηγόρος Γάλλος	ουρανός λογαριασμός χωρισμός στρατηγός οδηγός καιρός Γερμανός Ιταλός

- Ο τόνος δεν αλλάζει θέση, όταν βρίσκεται στην πρώτη ή τη δεύτερη συλλαβή από το τέλος.

- Όταν το ουσιαστικό τονίζεται στην τρίτη συλλαβή από το τέλος, τότε ο τόνος κατεβαίνει συνήθως μία συλλαβή στη Γενική ενικού και πληθυντικού και στην Αιτιατική πληθυντικού.

  *ο **ά**νθρωπος → του ανθρ**ώ**που / των ανθρ**ώ**πων / τους ανθρ**ώ**πους*

- Ο κανόνας αυτός, όμως, δεν ισχύει για όλα τα αρσενικά σε **-ος**. Πολλά από αυτά (συνήθως νεότερα και σύνθετα) κρατάνε τον τόνο στην τρίτη συλλαβή στην Αιτιατική πληθυντικού ή και σε όλες τις πτώσεις.

  *ο πονοκ**έ**φαλος → του πονοκ**έ**φαλου,*

  *οι πονοκ**έ**φαλοι → των πονοκ**έ**φαλων / τους πονοκ**έ**φαλους*

A2 -ας, -ες

Ενικός Αριθμός			
Ονομαστική **Γενική** **Αιτιατική**	ο πίνακ**ας** του πίνακ**α** τον πίνακ**α**	ο πατέρ**ας** του πατέρ**α** τον πατέρ**α**	ο άντρ**ας** του άντρ**α** τον άντρ**α**
Πληθυντικός Αριθμός			
Ονομαστική **Γενική** **Αιτιατική**	οι πίνακ**ες** των πινάκ**ων** τους πίνακ**ες**	οι πατέρ**ες** των πατέρ**ων** τους πατέρ**ες**	οι άντρ**ες** των αντρ**ών** τους άντρ**ες**
Το ίδιο και τα:	επιστήμονας γείτονας φύλακας Έλληνας μάγειρας	κανόνας χειμώνας αγώνας χαρακτήρας ανελκυστήρας	μήνας γραφίστας τουρίστας επαγγελματίας ταμίας

Όσα τονίζονται στην τρίτη συλλαβή από το τέλος κατεβάζουν τον τόνο κατά μία συλλαβή μόνο στη Γενική πληθυντικού.

Όσα τονίζονται στη δεύτερη συλλαβή από το τέλος χωρίζονται σε δύο κατηγορίες:

- όσα τελειώνουν σε **-ίας** /**-ίστας** και τα **άντρας - μήνας** κατεβάζουν τον τόνο στη πρώτη συλλαβή στη Γενική πληθυντικού (-**ών**).

  *ο γραφίστας → των γραφιστ**ών***

  *ο άντρας → των αντρ**ών***

  *ο μήνας → των μην**ών***

- τα υπόλοιπα κρατάνε τον τόνο στην ίδια θέση σε όλους τους τύπους **(και στη Γενική πληθυντικού)**

  *ο πατ**έ**ρας → των πατ**έ**ρων*

A3 -ης, -ες

Ενικός Αριθμός		
Ονομαστική **Γενική** **Αιτιατική**	ο επιβά**της** του επιβά**τη** τον επιβά**τη**	ο φοιτη**τής** του φοιτη**τή** τον φοιτη**τή**
Πληθυντικός Αριθμός		
Ονομαστική **Γενική** **Αιτιατική**	οι επιβά**τες** των επιβα**τών** τους επιβά**τες**	οι φοιτη**τές** των φοιτη**τών** τους φοιτη**τές**
Το ίδιο και τα:	στρατιώτης εργάτης πατριώτης	καθηγητής μαθητής σπουδαστής νικητής διευθυντής βουλευτής

Τα αρσενικά A3 τονίζονται πάντα στην τελευταία συλλαβή στη Γενική πληθυντικού (**-ης** → **-ών**). Ο τόνος τους δεν αλλάζει θέση σε καμία άλλη πτώση.

A4 -άς, -άδες

Ενικός Αριθμός	
Ονομαστική **Γενική** **Αιτιατική**	ο μπαμπ**άς** του μπαμπ**ά** τον μπαμπ**ά**
Πληθυντικός Αριθμός	
Ονομαστική **Γενική** **Αιτιατική**	οι μπαμπ**άδες** των μπαμπ**άδων** τους μπαμπ**άδες**
Το ίδιο και τα:	παπάς περιπτεράς ψαράς μπελάς λουκουμάς ντολμάς

Α5 -ης, -ηδες

Ενικός Αριθμός		
Ονομαστική **Γενική** **Αιτιατική**	ο μανά**βης** του μανά**βη** τον μανά**βη**	ο καφετ**ζής** του καφετ**ζή** τον καφετ**ζή**
Πληθυντικός Αριθμός		
Ονομαστική **Γενική** **Αιτιατική**	οι μανά**βηδες** των μανά**βηδων** τους μανά**βηδες**	οι καφετ**ζήδες** των καφετ**ζήδων** τους καφετ**ζήδες**
Το ίδιο και τα:	χασάπης μπακάλης φούρναρης	σουβλατζής παγωτατζής ταξιτζής

Τα ουσιαστικά Α5 τονίζονται συνήθως στη δεύτερη ή την πρώτη συλλαβή από το τέλος. Ο τόνος τους μένει στο ίδιο γράμμα με την Ονομαστική του ενικού.

- Πολλά αρσενικά Α5 δηλώνουν κάποιο επάγγελμα.

Α6 -ές, -έδες

Ενικός Αριθμός	
Ονομαστική **Γενική** **Αιτιατική**	ο καφ**ές** του καφ**έ** τον καφ**έ**
Πληθυντικός Αριθμός	
Ονομαστική **Γενική** **Αιτιατική**	οι καφ**έδες** των καφ**έδων** τους καφ**έδες**
Το ίδιο και τα:	καναπές ναργιλές κεφτές (ν)τενεκές λεκές καμπινές μεζές

A7 -ούς, -ούδες

Ενικός Αριθμός	
Ονομαστική **Γενική** **Αιτιατική**	ο παππ**ούς** του παππ**ού** τον παππ**ού**
Πληθυντικός Αριθμός	
Ονομαστική **Γενική** **Αιτιατική**	οι παππ**ούδες** των παππ**ούδων** τους παππ**ούδες**
Το ίδιο και τα:	νους Ιησούς (δεν έχουν πληθυντικό)

A8 -έας, -είς

Ενικός Αριθμός	
Ονομαστική **Γενική** **Αιτιατική**	ο γραμματ**έας** του γραμματ**έα** τον γραμματ**έα**
Πληθυντικός Αριθμός	
Ονομαστική **Γενική** **Αιτιατική**	οι γραμματ**είς** των γραμματ**έων** τους γραμματ**είς**
Το ίδιο και τα:	γονέας ιερέας συγγραφέας κουρέας εισαγγελέας

Ο τόνος κατεβαίνει στην τελευταία συλλαβή στην Ονομαστική και Αιτιατική πληθυντικού (-**είς**).

2.2.3 Θηλυκά

Θ1 -α, -ες

Ενικός Αριθμός			
Ονομαστική **Γενική** **Αιτιατική**	η θάλασσ**α** της θάλασσ**ας** την θάλασσ**α**	η χώρ**α** της χώρ**ας** την χώρ**α**	η δουλε**ιά** της δουλε**ιάς** την δουλε**ιά**
Πληθυντικός Αριθμός			
Ονομαστική **Γενική** **Αιτιατική**	οι θάλασσ**ες** των θαλασσ**ών** τις θάλασσ**ες**	οι χώρ**ες** των χωρ**ών** τις χώρ**ες**	οι δουλει**ές** των δουλει**ών** τις δουλει**ές**
Το ίδιο και τα:	αίθουσα μέλισσα μαθήτρια φοιτήτρια χορεύτρια	ώρα πόρτα τσάντα γλώσσα καρέκλα κυρία γυναίκα απεργία	καρδιά ματιά τριανταφυλλιά αγκαλιά

Σχεδόν όλα τα θηλυκά Θ1 κρατάνε τον τόνο σταθερό σε όλες τις πτώσεις εκτός από τη Γενική πληθυντικού. Στη Γενική πληθυντικού ο τόνος μπαίνει στην τελευταία συλλαβή (**-ών**) σε όλα εκτός από:

- η μητέρα → των μητέρων
  η δασκάλα → των δασκάλων
  η εικόνα → των εικόνων
- όσα τελειώνουν σε -**δα**
  η εφημερίδα → των εφημερίδων
  η αρκούδα → των αρκούδων
- όσα τελειώνουν σε -**τητα**
  η ταχύτητα → των ταχυτήτων

Θ2 -η, -ες

Ενικός Αριθμός			
Ονομαστική **Γενική** **Αιτιατική**	η ζάχαρ**η** της ζάχαρ**ης** την ζάχαρ**η**	η μύτ**η** της μύτ**ης** την μύτ**η**	η αλλαγ**ή** της αλλαγ**ής** την αλλαγ**ή**
Πληθυντικός Αριθμός			
Ονομαστική **Γενική** **Αιτιατική**	οι ζάχαρ**ες** - τις ζάχαρ**ες**	οι μύτ**ες** των μυτ**ών** τις μύτ**ες**	οι αλλαγ**ές** των αλλαγ**ών** τις αλλαγ**ές**
Το ίδιο και τα:	ρίγανη κάπαρη	τέχνη βιβλιοθήκη νίκη αγάπη	προσευχή διακοπή τιμή φωνή αρχή

Τα ουσιαστικά Θ2 κατεβάζουν τον τόνο στην τελευταία συλλαβή στη Γενική πληθυντικού (**-ών**). Σε όλες τις άλλες πτώσεις ο τόνος δεν αλλάζει θέση.

Πολύ λίγα ουσιαστικά Θ2 τονίζονται στην τρίτη συλλαβή από το τέλος. Αυτά συνήθως δεν έχουν τύπο Γενικής πληθυντικού (π.χ. «ζάχαρη»).

Θ3 -η, -εις (-ση/-ξη/-ψη)

Ενικός Αριθμός		
Ονομαστική **Γενική** **Αιτιατική**	η κατάθεσ**η** της κατάθεσ**ης** την κατάθεσ**η**	η λέξ**η** της λέξ**ης** την λέξ**η**
Πληθυντικός Αριθμός		
Ονομαστική **Γενική** **Αιτιατική**	οι καταθέσ**εις** των καταθέσ**εων** τις καταθέσ**εις**	οι λέξ**εις** των λέξ**εων** τις λέξ**εις**
Το ίδιο και τα:	κατάσταση κυβέρνηση απόδειξη άποψη σύνταξη **δύναμη**	γνώση στάση βάση θέση πράξη τάξη **πόλη** **τίγρη** **πίστη** (σπάνια πληθ.) **Αλλά** η βρύσ**η** - οι βρύσ**ες**

- Ο τόνος μένει στην ίδια συλλαβή σε όλες τις πτώσεις, όταν το ουσιαστικό τονίζεται στη δεύτερη συλλαβή από το τέλος.
- Αν το ουσιαστικό τονίζεται στην τρίτη συλλαβή από το τέλος, τότε ο τόνος κατεβαίνει στη δεύτερη συλλαβή στην Ονομαστική και στην Αιτιατική πληθυντικού. Στη Γενική πληθυντικού ο τόνος είναι πάντα μία συλλαβή πριν το **-εων** (των καταθέ**σεων**).
- Μερικά ουσιαστικά μπορεί να έχουν και δεύτερο τύπο στη Γενική ενικού σε **-εως**. Οι τύποι αυτοί χρησιμοποιούνται μόνο σε επίσημο ύφος. Ο τόνος είναι πάντα μία συλλαβή πριν το **-εως** (της πόλ**εως**).

*η άποψ**η** → της απόψ**εως**, η πόλ**η** → της πόλ**εως***

Θ4 -ος, -οι

Ενικός Αριθμός			
Ονομαστική **Γενική** **Αιτιατική**	η έξοδ**ος** της εξόδ**ου** την έξοδ**ο**	η ψήφ**ος** της ψήφ**ου** την ψήφ**ο**	η οδ**ός** της οδ**ού** την οδ**ό**
Πληθυντικός Αριθμός			
Ονομαστική **Γενική** **Αιτιατική**	οι έξοδ**οι** των εξόδ**ων** τις εξόδ**ους**	οι ψήφ**οι** των ψήφ**ων** τις ψήφ**ους**	οι οδ**οί** των οδ**ών** τις οδ**ούς**
Το ίδιο και τα:	είσοδος άνοδος διάλεκτος μέθοδος παράγραφος	άμμος νήσος Νάξος Θάσος Σίφνος	γιατρός αεροσυνοδός ηθοποιός Αμοργός

Τα ουσιαστικά Θ4 έχουν τις καταλήξεις και τον τονισμό των αρσενικών Α1, αλλά είναι θηλυκά. Γι' αυτό, το άρθρο, οι αντωνυμίες και τα επίθετα που πηγαίνουν μαζί τους είναι πάντα σε γένος θηλυκό.

η μεγάλη *άνοδος*, **αυτή η** *οδός*, **μία** *παράγραφος*

Τα θηλυκά σε -ος σε ομάδες
Οδός και σύνθετα: η **οδός**, η μέθ**οδος**, η έξ**οδος**, η είσ**οδος**, η κάθ**οδος**, η άν**οδος**, η πρό**οδος** κ.ά.
Νησιά: η Πάρος, η Νάξος, η Σύρος, η Τήνος, η Μύκονος, η Άνδρος, η Ρόδος, η Σάμος, η Ζάκυνθος, η Ίος, η Πάτμος, η Θάσος, η Σίφνος, η Αμοργός κ.ά. Αλλά: **ο Πόρος, η Κως**  Αυτά τα ουσιαστικά δεν έχουν πληθυντικό.

Χώρες και περιοχές: η Αίγυπτος, η Κύπρος, η Πελοπόννησος, η Επίδαυρος, η Κόρινθος κ.ά. ⚠ Αυτά τα ουσιαστικά δεν έχουν πληθυντικό.
Επαγγέλματα: ο/η γιατρός, ο/η ηθοποιός, ο/η φιλόλογος, ο/η ηλεκτρολόγος, ο/η δικηγόρος, ο/η μηχανικός, ο/η μαθηματικός, ο/η αρχαιολόγος, ο/η υπάλληλος κ.ά.
Άλλες λέξεις: ο/η σύζυγος, η νήσος, η ήπειρος, η άμμος, η λεωφόρος, η παράγραφος, η ψήφος, η επέτειος, η διάμετρος, η περίμετρος κ.ά.

Θ5 -ά, -άδες

Ενικός Αριθμός	
Ονομαστική **Γενική** **Αιτιατική**	η μαμ**ά** της μαμ**άς** την μαμ**ά**
Πληθυντικός Αριθμός	
Ονομαστική **Γενική** **Αιτιατική**	οι μαμ**άδες** των μαμ**άδων** τις μαμ**άδες**
Το ίδιο και τα:	η γιαγιά η ντατνά

Θ6 -ού, -ούδες

Ενικός Αριθμός	
Ονομαστική **Γενική** **Αιτιατική**	η αλεπ**ού** της αλεπ**ούς** την αλεπ**ού**
Πληθυντικός Αριθμός	
Ονομαστική **Γενική** **Αιτιατική**	οι αλεπ**ούδες** των αλεπ**ούδων** τις αλεπ**ούδες**
Το ίδιο και το:	μαϊμού

Όπως και τα αρσενικά Α4, Α5 και Α6, τα θηλυκά ουσιαστικά Θ5 και Θ6 κρατάνε τον τόνο τους στην ίδια συλλαβή ακόμα και στον πληθυντικό όπου έχουν μία παραπάνω συλλαβή (-**δες**).

Θ7 -ω

Ενικός Αριθμός	
Ονομαστική **Γενική** **Αιτιατική**	η Αργυρ**ώ** της Αργυρ**ώς** την Αργυρ**ώ**
Το ίδιο και τα:	Μαριώ Μάρω Λενιώ

♦ Τα ουσιαστικά Θ7 είναι κύρια ονόματα και δεν έχουν πληθυντικό.

♦ Σαν αυτά κλίνονται και μερικά αρχαία ονόματα (Κλειώ – Σαπφώ) ή αρχαία ουσιαστικά (ηχώ – πειθώ). Αυτά σχηματίζουν συνήθως τη Γενική με την αρχαία κατάληξη **-ους**.

η ηχώ → της ηχούς

Πολλές φορές στον προφορικό λόγο τέτοια αρχαία ονόματα κλίνονται κανονικά όπως τα Θ7.

η Κλειώ → της Κλειώς /της Κλειούς

η Σαπφώ → της Σαπφώς/της Σαπφούς

Ουσιαστικά Κοινού Γένους

Μερικά ουσιαστικά έχουν τον ίδιο τύπο για το αρσενικό και το θηλυκό.

Κατηγορίες με βάση την κατάληξη και τη σημασία

- **-ος:** συνήθως όσα δηλώνουν **επάγγελμα** και **ο/η σύζυγος** (→ 28-29)
- **-έας:** ο/η γραμματέας, ο/η διερμηνέας, ο/η συγγραφέας κ.ά.

  ⚠ Τα θηλυκά σε **-έας** έχουν Γενική ενικού σε **-έως.**

  η γραμματέας → της γραμματέως

- **-ης:** όσα προέρχονται από επίθετα Ε7 (ο/η ασθενής, ο/η συγγενής κ.ά.)
  Αλλά και ο/η βουλευτής, ο/η δημότης, ο/η πολίτης κ.ά.
- **-ας:** ο/η ταμίας, ο/η μάρτυρας κ.ά.

2.2.4 Ουδέτερα

Ο1 -ο, -α

Ενικός Αριθμός			
Ονομαστική **Γενική** **Αιτιατική**	το ποδήλατ**ο** του ποδηλάτ**ου** το ποδήλατ**ο**	το πλοί**ο** του πλοί**ου** το πλοί**ο**	το μωρ**ό** του μωρ**ού** το μωρ**ό**
Πληθυντικός Αριθμός			
Ονομαστική **Γενική** **Αιτιατική**	τα ποδήλα**τα** των ποδηλά**των** τα ποδήλα**τα**	τα πλοί**α** των πλοί**ων** τα πλοί**α**	τα μωρ**ά** των μωρ**ών** τα μωρ**ά**
Το ίδιο και τα:	αυτοκίνητο τηλέφωνο ραδιόφωνο θέατρο εισιτήριο	ζώο καφενείο δέντρο κάστρο λεωφορείο	νερό ποσό χωριό βουνό φορτηγό

Ο τόνος στα ουδέτερα Ο1 ακολουθεί τους ίδιους κανόνες με τα αρσενικά Α1.

Ο2 -ι, -ια

Ενικός Αριθμός		
Ονομαστική **Γενική** **Αιτιατική**	το σπίτ**ι** του σπιτ**ιού** το σπίτ**ι**	το παιδ**ί** του παιδ**ιού** το παιδ**ί**
Πληθυντικός Αριθμός		
Ονομαστική **Γενική** **Αιτιατική**	τα σπίτ**ια** των σπιτ**ιών** τα σπίτ**ια**	τα παιδ**ιά** των παιδ**ιών** τα παιδ**ιά**
Το ίδιο και τα:	τραγούδι λουλούδι αγόρι κορίτσι μπαλκόνι	σκυλί ψωμί κρασί τυρί

Ο τόνος στη Γενική ενικού και πληθυντικού μπαίνει πάντα στην πρώτη συλλαβή από το τέλος (**-ιού, -ιών**).

⚠ το πρω**ί**, του πρω**ινού**, τα πρω**ινά**, των πρω**ινών**

Ο3 -μα, -ματα

Ενικός Αριθμός		
Ονομαστική **Γενική** **Αιτιατική**	το πρόβλη**μα** του προβλή**ματος** το πρόβλη**μα**	το στό**μα** του στό**ματος** το στό**μα**
Πληθυντικός Αριθμός		
Ονομαστική **Γενική** **Αιτιατική**	τα προβλή**ματα** των προβλη**μάτων** τα προβλή**ματα**	τα στό**ματα** των στο**μάτων** τα στό**ματα**
Το ίδιο και τα:	μάθημα ποίημα όνομα μηχάνημα σύστημα	γράμμα σώμα χρώμα στρώμα αίμα

- Όλα τα ουδέτερα Ο3 τονίζονται στη Γενική πληθυντικού στη δεύτερη από το τέλος συλλαβή (**-μάτων**).
- Όλα τα ουδέτερα Ο3 τονίζονται μία συλλαβή πριν τις καταλήξεις **-ματος**, **-ματα** της Γενικής ενικού και της Ονομαστικής και Αιτιατικής πληθυντικού.

Ο4 -ος, -η

Ενικός Αριθμός		
Ονομαστική **Γενική** **Αιτιατική**	το μέγεθ**ος** του μεγέθ**ους** το μέγεθ**ος**	το λάθ**ος** του λάθ**ους** το λάθ**ος**
Πληθυντικός Αριθμός		
Ονομαστική **Γενική** **Αιτιατική**	τα μεγέθ**η** των μεγεθ**ών** τα μεγέθ**η**	τα λάθ**η** των λαθ**ών** τα λάθ**η**
Το ίδιο και τα:	πέλαγος έδαφος στέλεχος	τέλος, έτος, δάσος, άλσος, μέρος, όρος, βάθος, μήκος, ύψος, πλάτος, πάχος, βάρος, λίπος, άγχος, πάθος, μίσος, βέλος, βρέφος, γένος, θάρρος, είδος, κέρδος, κόστος, πλήθος, κράτος, έθνος, μέλος, στήθος, ύφος, χάος, χρέος, νέφος, κράνος, Άργος κ.ά.

Η Γενική πληθυντικού στα περισσότερα Ο4 τονίζεται στην τελευταία συλλαβή (**-ών**). Πολλά από αυτά, όμως, δεν χρησιμοποιούνται στη Γενική πληθυντικού ή δεν έχουν καθόλου πληθυντικό.

- το πλήθος → τα πλήθη (**όχι Γενική**)
- το χάος → — (**όχι πληθυντικός**)
- το πέλαγος → των πελάγων (**προσοχή στον τόνο**)

Ο τόνος δεν αλλάζει θέση σε όσα έχουν δύο συλλαβές σε όλες τις άλλες πτώσεις.

Ο τόνος μπαίνει στη δεύτερη από το τέλος συλλαβή στη Γενική ενικού και στην Ονομαστική/Αιτιατική πληθυντικού σε όσα έχουν τρεις συλλαβές.

το μέγεθος-του μεγέθους-τα μεγέθη

Ο5 -ιμο, -ίματα

Ενικός Αριθμός			
Ονομαστική **Γενική** **Αιτιατική**	το τρέξ**ιμο** του τρεξ**ίματος** το τρέξ**ιμο**	το κλέψ**ιμο** του κλεψ**ίματος** το κλέψ**ιμο**	το χτίσ**ιμο** του χτισ**ίματος** το χτίσ**ιμο**
Πληθυντικός Αριθμός			
Ονομαστική **Γενική** **Αιτιατική**	τα τρεξ**ίματα** των τρεξ**ιμάτων** τα τρεξ**ίματα**	τα κλεψ**ίματα** των κλεψ**ιμάτων** τα κλεψ**ίματα**	τα χτισ**ίματα** των χτισ**ιμάτων** τα χτισ**ίματα**
Το ίδιο και τα:	διώξιμο ψάξιμο φτιάξιμο	γράψιμο κόψιμο ράψιμο βάψιμο	κλείσιμο ντύσιμο πλύσιμο ψήσιμο

- Στην κατηγορία αυτή βρίσκω ουσιαστικά που βγαίνουν από τη ρίζα του Αορίστου ενός ρήματος.

*τρέχω – έ**τρεξ**α – τρέ**ξ**ιμο*

*κλέβω – έ**κλεψ**α – κλέ**ψ**ιμο*

*χτίζω – έ**χτισ**α - χτί**σ**ιμο*

Τα Ο5 έχουν τους ίδιους κανόνες για τους τόνους με τα Ο3. Έτσι, ο τόνος είναι στο **-ίματος**, **-ίματα**, **-ιμάτων**.

Ο6 -ον, -οντα

Ενικός Αριθμός	
Ονομαστική **Γενική** **Αιτιατική**	το προϊ**όν** του προϊ**όντος** το προϊ**όν**
Πληθυντικός Αριθμός	
Ονομαστική **Γενική** **Αιτιατική**	τα προϊ**όντα** των προϊ**όντων** τα προϊ**όντα**
Το ίδιο και το:	το παρόν το μέλλον το παρελθόν το ενδιαφέρον το συμφέρον το καθήκον το περιβάλλον

Ο τόνος τους αλλάζει θέση μόνο στη Γενική πληθυντικού όπου τονίζονται πάντα στην δεύτερη από το τέλος συλλαβή.

Τα ουσιαστικά **παρόν**, **παρελθόν** και **μέλλον** δεν έχουν πληθυντικό.

Ανώμαλα ουδέτερα (-α/-εν /-αν /-ς > -τα)

Ενικός Αριθμός			
Ονομαστική **Γενική** **Αιτιατική**	το γάλα του γάλα**τος**/του γάλα**κτος** το γάλα	το φωνήεν του φωνήεν**τος** το φωνήεν	το συμβάν του συμβάν**τος** το συμβάν
Πληθυντικός Αριθμός			
Ονομαστική **Γενική** **Αιτιατική**	τα γάλα**τα** (των γαλά**των**) τα γάλα**τα**	τα φωνήεν**τα** των φωνηέν**των** τα φωνήεν**τα**	τα συμβάν**τα** των συμβάν**των** τα συμβάν**τα**
Το ίδιο και τα:			σύμπαν (δεν έχει πληθυντικό)

αρνάκι/μοσχαράκι/κατσικάκι **γάλακτος** (= νεαρό), σοκολάτα **γάλακτος** (= με γάλα), κρέμα **γάλακτος**, βούτυρο **γάλακτος**, η τιμή του **γάλακτος**/**γάλατος**

Ενικός Αριθμός			
Ονομαστική **Γενική** **Αιτιατική**	το γεγονός του γεγονό**τος** το γεγονός	το κρέας του κρέα**τος** το κρέας	το φως του φω**τός** το φως
Πληθυντικός Αριθμός			
Ονομαστική **Γενική** **Αιτιατική**	τα γεγονό**τα** των γεγονό**των** τα γεγονό**τα**	τα κρέα**τα** των κρεά**των** τα κρέα**τα**	τα φώ**τα** των φώ**των** τα φώ**τα**
Το ίδιο και τα:		τέρας πέρας	καθεστώς (ο τόνος δεν αλλάζει θέση)

Ουδέτερα (-υ)

Ενικός Αριθμός				
Ονομαστική **Γενική** **Αιτιατική**	το βράδυ (του βραδιού) το βράδυ	το δίχτυ - το δίχτυ	το δάκρυ - το δάκρυ	το στάχυ - το στάχυ
Πληθυντικός Αριθμός				
Ονομαστική **Γενική** **Αιτιατική**	τα βράδια (των βραδιών) τα βράδια	τα δίχτυα των διχτυών τα δίχτυα	τα δάκρυα των δακρύων τα δάκρυα	τα στάχυα - τα στάχυα

Κεφάλαιο 3: Το Επίθετο

Τα επίθετα είναι λέξεις που μας δίνουν πληροφορίες για τα χαρακτηριστικά που έχει ένα ουσιαστικό.

3.1 ΒΑΣΙΚΕΣ ΧΡΗΣΕΙΣ

Συνδέω ένα ουσιαστικό και ένα επίθετο με δύο βασικούς τρόπους:

1. **Επίθετο + Ουσιαστικό**

2. **Ουσιαστικό + Συνδετικό Ρήμα (είμαι, φαίνομαι... ⊙→17) + Επίθετο**

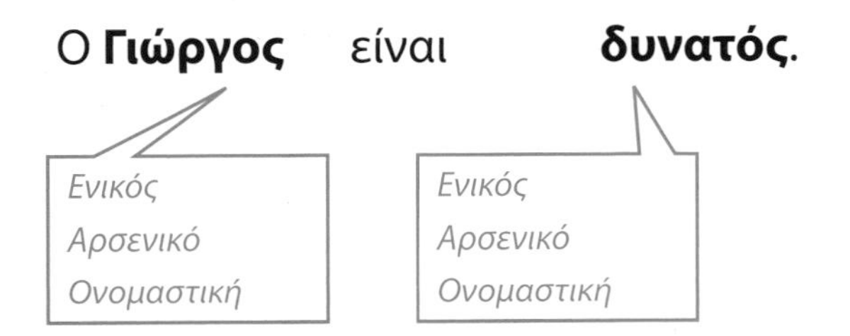

Το επίθετο σχεδόν πάντα συνδέεται με ένα ουσιαστικό.
Παίρνει πάντα από το ουσιαστικό:
• το γένος • τον αριθμό • την πτώση

Όταν χρησιμοποιώ επίθετα:

- Βρίσκω το **γένος**, τον **αριθμό** και την **πτώση** του ουσιαστικού που πηγαίνει μαζί με το επίθετο.
- Βρίσκω σε ποια ομάδα ανήκει το επίθετο που θέλω να χρησιμοποιήσω (Ε1, Ε2...). (⊙→37-43)
- Βάζω το επίθετο στο ίδιο **γένος**, **αριθμό** και **πτώση** με το ουσιαστικό.

Γενικά η θέση του τόνου είναι ίδια σε όλους τους τύπους κάθε επιθέτου. Μοναδική εξαίρεση αποτελούν οι κατηγορίες Ε7 και Ε8 όπου ο τόνος κατεβαίνει κατά μία συλλαβή στη Γενική πληθυντικού.

3.2 ΟΜΑΔΕΣ ΕΠΙΘΕΤΩΝ

Τα επίθετα χωρίζονται σε ομάδες ανάλογα με **τις καταλήξεις τους**. Οι σημαντικότερες από αυτές είναι εννιά (Ε1 – Ε9).

Ε1 (-ος, -η, -ο)

Ενικός Αριθμός			
Ονομαστική	ο ακριβ**ός**	η ακριβ**ή**	το ακριβ**ό**
Γενική	του ακριβ**ού**	της ακριβ**ής**	του ακριβ**ού**
Αιτιατική	τον ακριβ**ό**	την ακριβ**ή**	το ακριβ**ό**
Πληθυντικός Αριθμός			
Ονομαστική	οι ακριβ**οί**	οι ακριβ**ές**	τα ακριβ**ά**
Γενική	των ακριβ**ών**	των ακριβ**ών**	των ακριβ**ών**
Αιτιατική	τους ακριβ**ούς**	τις ακριβ**ές**	τα ακριβ**ά**
Το ίδιο και τα:	ακριβός-ή-ό, ανοιχτός-ή-ό, αργός-ή-ό, άρρωστος-η-ο, άσχημος-η-ο, αδύνατος-η-ο, απλός-ή-ό, άσπρος-η-ο, βρώμικος-η-ο, γεμάτος-η-ο, γνωστός-ή-ό, γρήγορος-η-ο, δύσκολος-η-ο, έξυπνος-η-ο, επόμενος-η-ο, εύκολος-η-ο, ζεστός-ή-ό, καθαρός-ή-ό, καλός-ή-ό, κίτρινος-η-ο, κλειστός-ή-ό, κόκκινος-η-ο, κοντός-ή-ό, λεπτός-ή-ό, λευκός-ή-ό, μαύρος-η-ο, μεγάλος-η-ο, μικρός-ή-ό, νόστιμος-η-ο, όμορφος-η-ο, παραδοσιακός-ή-ό, πράσινος-η-ο, προηγούμενος-η-ο, φτηνός-ή-ό, χοντρός-ή-ό, ψηλός-ή-ό		

Ε2 (-ος, -α, -ο)

Ενικός Αριθμός			
Ονομαστική	ο ωραί**ος**	η ωραί**α**	το ωραί**ο**
Γενική	του ωραί**ου**	της ωραί**ας**	του ωραί**ου**
Αιτιατική	τον ωραί**ο**	την ωραί**α**	το ωραί**ο**
Πληθυντικός Αριθμός			
Ονομαστική	οι ωραί**οι**	οι ωραί**ες**	τα ωραί**α**
Γενική	των ωραί**ων**	των ωραί**ων**	των ωραί**ων**
Αιτιατική	τους ωραί**ους**	τις ωραί**ες**	τα ωραί**α**
Το ίδιο και τα:	άδειος-α-ο, αρχαίος-α-ο, γενναίος-α-ο, καινούργιος-α-ο, κρύος-α-ο, νέος-α-ο, παλιός-ά-ό, ωραίος-α-ο, τέλειος-α-ο, τελευταίος-α-ο ⚠ μοντέρνος-α-ο, γκρίζος-α-ο, σκούρος-α-ο		

Πώς καταλαβαίνω αν ένα επίθετο είναι Ε1 (-ος-η-ο) ή Ε2 (-ος-α-ο);

- Τα επίθετα Ε1 και Ε2 διαφέρουν μόνο στο θηλυκό στον ενικό αριθμό.
- Ξέρω ότι ένα επίθετο βρίσκεται στην ομάδα Ε1, αν πριν την κατάληξη υπάρχει **σύμφωνο**.

[β, γ, δ, ζ, θ, κ, λ, μ, ν, ξ, π, ρ, σ, τ, φ, χ, ψ] **-ος** → **-η**

δύσκο**λ**-ος	δύσκο**λ-η**	δύσκο**λ**-ο
δυνα**τ**-ός	δυνα**τ-ή**	δυνα**τ**-ό

Εξαιρέσεις		
μοντέρνος	μοντέρν**α**	μοντέρνο
γκρίζος	γκρίζ**α**	γκρίζο
σκούρος	σκούρ**α**	σκούρο

Ξέρω ότι ένα επίθετο βρίσκεται στην ομάδα Ε2, αν πριν την κατάληξη υπάρχει **φωνήεν**.

[α, ι, η, υ, ει, οι, ε, αι, ο, ω, ου] **-ος** → **-α**

ν**έ**-ος	ν**έ-α**	ν**έ**-ο
τέλ**ει**-ος	τέλ**ει-α**	τέλ**ει**-ο

Ε3 (-ος, -ια/-η, -ο)

Ενικός Αριθμός			
Ονομαστική	ο μαλακ**ός**	η μαλακ**ιά**/μαλακ**ή**	το μαλακ**ό**
Γενική	του μαλακ**ού**	της μαλακ**ιάς**/μαλακ**ής**	του μαλακ**ού**
Αιτιατική	τον μαλακ**ό**	την μαλακ**ιά**/μαλακ**ή**	το μαλακ**ό**
Πληθυντικός Αριθμός			
Ονομαστική	οι μαλακ**οί**	οι μαλακ**ές**	τα μαλακ**ά**
Γενική	των μαλακ**ών**	των μαλακ**ών**	των μαλακ**ών**
Αιτιατική	τους μαλακ**ούς**	τις μαλακ**ές**	τα μαλακ**ά**
Το ίδιο και τα:	φτωχός θηλυκός ξανθός κακός νηστικός κρητικός	φτωχιά/φτωχή θηλυκιά/θηλυκή ξανθιά/ξανθή κακιά/κακή νηστικιά/νηστική κρητικιά/κρητική	φτωχό θηλυκό ξανθό κακό νηστικό κρητικό
⚠	γλυκός φρέσκος	γλυκιά (όχι ~~γλυκή~~) φρέσκια (όχι ~~φρέσκη~~)	γλυκό φρέσκο

- Τα επίθετα Ε3 διαφέρουν από τα Ε1 μόνο στον ενικό αριθμό του θηλυκού, γιατί έχουν δεύτερο τύπο σε –**ια**.

  ⚠ Τα επίθετα «γλυκός» και «φρέσκος» έχουν τύπο μόνο σε **-ια**.

  Τα επίθετα Ε3 διαφέρουν από τα Ε2, γιατί έχουν ένα **«ι»** στον ενικό του θηλυκού στην κατάληξη.

  *Ε2: νέ-ος, νέ-**α**, νέ-ο*

  *Ε3: κακός, κακ-**ιά**, κακ-ό*

- Τα επίθετα Ε3 έχουν πριν την κατάληξη **/κ/** ή **/χ/** ή **/θ/**. Έτσι, στην κατάληξη του αρσενικού βλέπω ή ακούω **-κος**, **-χος**, **-θος**.

   Δεν έχουν θηλυκό σε -**ια** όλα τα επίθετα που τελειώνουν σε **-κος**, **-χος**, **-θος**. Έτσι, έχω:

  κοινωνικός - κοινωνική (όχι ~~κοινωνικιά~~)

  λογικός - λογική (όχι ~~λογικιά~~)

- Η κατάληξη -**ια** χρησιμοποιείται συνήθως στον καθημερινό λόγο και για έμψυχα ουσιαστικά.
  Η κατάληξη -**η** χρησιμοποιείται συνήθως σε πιο επίσημο λόγο και γενικά για άψυχα ουσιαστικά.

  *φτωχ**ιά** γυναίκα (καθημερινό) – φτωχ**ή** γυναίκα (επίσημο)*

  *Κρητικ**ιά** (έμψυχο)- κρητικ**ή** γραβιέρα (άψυχο)*

E4 (-ής, -ιά, -ί)

Ενικός Αριθμός			
Ονομαστική	ο θαλασσ**ής**	η θαλασσ**ιά**	το θαλασσ**ί**
Γενική	του θαλασσ**ή**	της θαλασσ**ιάς**	του θαλασσ**ιού**
Αιτιατική	τον θαλασσ**ή**	την θαλασσ**ιά**	το θαλασσ**ί**
Πληθυντικός Αριθμός			
Ονομαστική	οι θαλασσ**ιοί**	οι θαλασσ**ιές**	τα θαλασσ**ιά**
Γενική	των θαλασσ**ιών**	των θαλασσ**ιών**	των θαλασσ**ιών**
Αιτιατική	τους θαλασσ**ιούς**	τις θαλασσ**ιές**	τα θαλασσ**ιά**
Το ίδιο και τα:	βυσσινής-ιά-ί, καφετής-ιά-ί, πορτοκαλής-ιά-ί, χρυσαφής-ιά-ί, μουσταρδής-ιά-ί, δεξής-ιά-ί		

- Τα επίθετα E4 δηλώνουν ένα χρώμα. Σε αυτή την ομάδα ανήκει και το επίθετο **δεξής -ιά -ί**.
- Πολλές φορές στον προφορικό λόγο χρησιμοποιούμε τον τύπο του ουδετέρου σε **-ι** στη θέση όλων των άλλων. Ο τύπος αυτός δηλώνει και το όνομα του χρώματος.

ένας ***πορτοκαλί*** *αναπτήρας*

μια ***βιολετί*** *μπλούζα*

μια ***σοκολατί*** *φούστα*

E5 (-ης, -α, -ικο)

Ενικός Αριθμός			
Ονομαστική	ο τεμπέλ**ης**	η τεμπέλ**α**	το τεμπέλ**ικο**
Γενική	του τεμπέλ**η**	της τεμπέλ**ας**	του τεμπέλ**ικου**
Αιτιατική	τον τεμπέλ**η**	την τεμπέλ**α**	το τεμπέλ**ικο**
Πληθυντικός Αριθμός			
Ονομαστική	οι τεμπέλ**ηδες**	οι τεμπέλ**ες**	τα τεμπέλ**ικα**
Γενική	των τεμπέλ**ηδων**	(των τεμπέλ**ων**)	των τεμπέλ**ικων**
Αιτιατική	τους τεμπέλ**ηδες**	τις τεμπέλ**ες**	τα τεμπέλ**ικα**
Το ίδιο και τα:	τσιγκούνης-α-ικο, κουτσομπόλης-α-ικο, γκρινιάρης-α-ικο, γρουσούζης-α-ικο		

- Τα E5 δίνουν συνήθως πληροφορίες για τον χαρακτήρα ή την εμφάνιση ή την ηλικία του ουσιαστικού.

- Οι καταλήξεις των Ε5 είναι ίδιες με αυτές των ουσιαστικών Α5, Θ1 και Ο1. Προσέχω, όμως, στον πληθυντικό του αρσενικού και σε όλο το ουδέτερο, γιατί πριν την κατάληξη βάζω τις συλλαβές **-ηδ-** και **-ικ-**.

ο γκρινιάρης → οι γκρινιάρ + **-ηδ-ες**

ο μικρούλης → το μικρούλ + **-ικ-ο**

- Ανήκουν πάντα στα Ε5 τα επίθετα που τελειώνουν σε **-ούλης**, **-άρης**, **-μάλλης**, **-μάτης**, **-χέρης**.

-άρης (ηλικία)	εικοσάρης, τριαντάρης, σαραντάρης κ.ά.
-άρης	βρωμιάρης, χαδιάρης, ζηλιάρης, φοβητσιάρης κ.ά.
-χέρης	χρυσοχέρης, μακρυχέρης κ.ά.
-μάτης	πρασινομάτης, γαλανομάτης κ.ά.
-μάλλης	ξανθομάλλης, σγουρομάλλης, μακρυμάλλης, κοκκινομάλλης κ.ά.
-ούλης	μικρούλης, χαζούλης, ομορφούλης κ.ά.

Ε6 (-ύς, -ιά, -ύ)

Ενικός Αριθμός			
Ονομαστική	ο βαρ**ύς**	η βαρ**ιά**	το βαρ**ύ**
Γενική	του βαρ**ιού**/βαρ**ύ**	της βαρ**ιάς**	του βαρ**ιού**/βαρ**ύ**
Αιτιατική	τον βαρ**ύ**	την βαρ**ιά**	το βαρ**ύ**
Πληθυντικός Αριθμός			
Ονομαστική	οι βαρ**ιοί**	οι βαρ**ιές**	τα βαρ**ιά**
Γενική	των βαρ**ιών**	των βαρ**ιών**	των βαρ**ιών**
Αιτιατική	τους βαρ**ιούς**	τις βαρ**ιές**	τα βαρ**ιά**
Το ίδιο και τα:	ελαφρύς-ιά-ύ, παχύς-ιά-ύ, μακρύς-ιά-ύ, πλατύς-ιά-ύ, φαρδύς-ιά-ύ, βαθύς-ιά-ύ, τραχύς-ιά-ύ		

- Τα Ε6 συνήθως δηλώνουν τις διαστάσεις ή το μέγεθος ή τα φυσικά χαρακτηριστικά των ουσιαστικών.

Αλλά:
ο ευθύς, του ευθέως, τον ευθύ, οι ευθείς, των ευθέων, τους ευθείς
η ευθεία, της ευθείας, την ευθεία, οι ευθείες, των ευθειών, τις ευθείες
το ευθύ, του ευθέως, το ευθύ, τα ευθέα, των ευθέων, τα ευθέα
Το ίδιο και τα: ευρύς-εία-ύ, ταχύς-εία-ύ

Ε7 (-ης, -ης, -ες)

Ενικός Αριθμός			
Ονομαστική	ο συνεπ**ής**	η συνεπ**ής**	το συνεπ**ές**
Γενική	του συνεπ**ούς**	της συνεπ**ούς**	του συνεπ**ούς**
Αιτιατική	τον συνεπ**ή**	την συνεπ**ή**	το συνεπ**ές**
Πληθυντικός Αριθμός			
Ονομαστική	οι συνεπ**είς**	οι συνεπ**είς**	τα συνεπ**ή**
Γενική	των συνεπ**ών**	των συνεπ**ών**	των συνεπ**ών**
Αιτιατική	τους συνεπ**είς**	τις συνεπ**είς**	τα συνεπ**ή**
Το ίδιο και τα:	διαρκής-ής-ές, δημοφιλής-ής-ές, ασφαλής-ής-ές, ευπρεπής-ής-ές, ανασφαλής-ής-ές, επιεικής-ής-ές, διεθνής-ής-ές, προσφιλής-ής-ές ειλικρινής-ής-ές ↔ ανειλικρινής-ής-ές ακριβής-ής-ές ↔ ανακριβής-ής-ές ευγενής-ής-ές ↔ αγενής-ής-ές υγιής-ής-ές ↔ ασθενής-ής-ές σαφής-ής-ές ↔ ασαφής-ής-ές επαρκής-ής-ές ↔ ανεπαρκής-ής-ές δυστυχής-ής-ές ↔ ευτυχής-ής-ές πλήρης-ης-ες ↔ ελλιπής-ής-ές διαφανής-ής-ές ↔ αδιαφανής-ής-ές συνεχής-ής-ές ↔ ασυνεχής-ής-ές		

- Στην ομάδα Ε7 το αρσενικό και το θηλυκό είναι ίδια. Αλλάζει μόνο το άρθρο, αν υπάρχει.

Όταν το επίθετο δεν παίρνει τον τόνο στην τελευταία συλλαβή, τότε στη Γενική πληθυντικού ο τόνος πάει στην τελευταία συλλαβή (**-ών**).

*ο βραχ**ώ**δης → των βραχωδ**ών***

♦ Στην ομάδα Ε7 ανήκουν πάντα όσα τελειώνουν σε:

-ώδης	πετρώδης, μυώδης, περιπετειώδης κ.ά.
-μανής	μυθομανής, τοξικομανής, ναρκομανής κ.ά.
-μαθής	πολυμαθής, γλωσσομαθής, γαλλομαθής κ.ά.
-μελής	πολυμελής, ολιγομελής, διμελής, τριμελής κ.ά.
-ετής	πρωτοετής, δευτεροετής κ.ά.
-παθής	ευπαθής, ομοιοπαθής, ψυχοπαθής, απαθής κ.ά.

Ε8 (-ων, -ουσα, -ον)

Ενικός Αριθμός			
Ονομαστική	ο ενδιαφέρ**ων**	η ενδιαφέρ**ουσα**	το ενδιαφέρ**ον**
Γενική	του ενδιαφέρ**οντος**	της ενδιαφέρ**ουσας**	του ενδιαφέρ**οντος**
Αιτιατική	τον ενδιαφέρ**οντα**	την ενδιαφέρ**ουσα**	το ενδιαφέρ**ον**
Πληθυντικός Αριθμός			
Ονομαστική	οι ενδιαφέρ**οντες**	οι ενδιαφέρ**ουσες**	τα ενδιαφέρ**οντα**
Γενική	των ενδιαφερ**όντων**	των ενδιαφερ**ουσών**	των ενδιαφερ**όντων**
Αιτιατική	τους ενδιαφέρ**οντες**	τις ενδιαφέρ**ουσες**	τα ενδιαφέρ**οντα**
Το ίδιο και τα:	μέλλων-ουσα-ον, παρών-ούσα-όν ↔ απών-ούσα-όν, επείγων-ουσα-ον, συμφέρων-ουσα-ον, δευτερεύων-ουσα-ον		

Ο τόνος κατεβαίνει μία συλλαβή στη Γενική πληθυντικού του αρσενικού και του ουδετέρου και δύο συλλαβές στη Γενική πληθυντικού του θηλυκού.

Ε9 (πολύς – πολλή – πολύ)

Ενικός Αριθμός			
Ονομαστική	ο πολύς	η πολλή	το πολύ
Γενική	του πολύ	της πολλής	του πολύ
Αιτιατική	τον πολύ	την πολλή	το πολύ
Πληθυντικός Αριθμός			
Ονομαστική	οι πολλοί	οι πολλές	τα πολλά
Γενική	των πολλών	των πολλών	των πολλών

Αιτιατική	τους πολλούς	τις πολλές	τα πολλά

- Στον ενικό του αρσενικού και του ουδετέρου το επίθετο έχει ένα **«λ»** και **-ύς/-ύ**.
- Σε όλους τους άλλους τύπους (στο θηλυκό και σε όλο τον πληθυντικό) έχει δύο **«λ»** και **-ή/-ής** ή **-οί** ή άλλο φωνήεν (**-ές, -ά, -ών, -ούς**).
- Δεν υπάρχει άλλο επίθετο που να κλίνεται σαν το «πολύς».

3.3 ΠΑΡΑΘΕΤΙΚΑ ΕΠΙΘΕΤΩΝ

Χρησιμοποιώ τα παραθετικά για να κάνω σύγκριση ανάμεσα σε δύο ή περισσότερα ουσιαστικά (συγκριτικός – σχετικός υπερθετικός). Μπορώ επίσης να δηλώσω ότι ένα ουσιαστικό έχει την ιδιότητα του επιθέτου σε πάρα πολύ μεγάλο βαθμό (απόλυτος υπερθετικός).

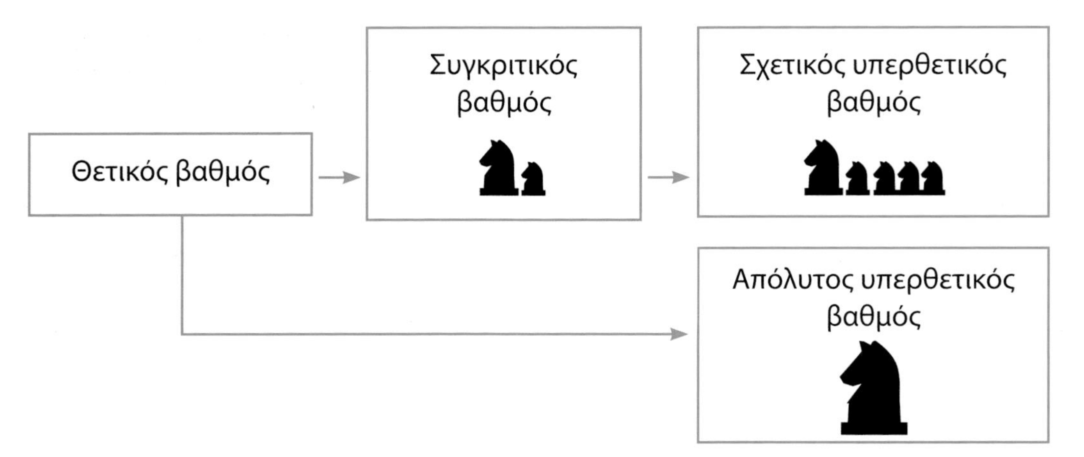

- Όλες οι καταλήξεις όλων των παραθετικών είναι ίδιες με τις καταλήξεις των επιθέτων της ομάδας Ε1.
- Ο θετικός βαθμός είναι η «βασική» μορφή του επιθέτου που δίνει ένα χαρακτηριστικό στο ουσιαστικό.

Ο Γιώργος είναι ***έξυπνος****.*

Δώσε μου τη ***μαύρη*** *τσάντα.*

3.3.1 Συγκριτικός Βαθμός

Συγκριτικός βαθμός είναι ο τύπος του επιθέτου που χρησιμοποιώ για να συγκρίνω δύο ουσιαστικά.

Μπορώ να φτιάξω τον συγκριτικό βαθμό του επιθέτου με δύο λέξεις ή με μία λέξη. Και οι δύο τύποι έχουν την ίδια σημασία.

Ο Γιώργος είναι ***πιο έξυπνος / εξυπνότερος*** *από τον Κώστα.*

Η Μαρία είναι ***πιο όμορφη / ομορφότερη*** *από τις φίλες της.*

Οι Σουηδοί είναι ***πιο ψηλοί / ψηλότεροι*** *από τους Έλληνες.*

πιο + θετικός βαθμός	→	*πιο έξυπνος -η -ο*
θετικός βαθμός (ουδέτερο) + -τερος -η -ο	→	*εξυπνότερος -η -ο*

 Ποτέ δεν χρησιμοποιώ τη λέξη **πιο** μαζί με την κατάληξη –**τερος**.

Ποτέ δεν χρησιμοποιώ άρθρο πριν το επίθετο που είναι στον συγκριτικό βαθμό.

Δεν έχουν όλα τα επίθετα συγκριτικό βαθμό με κατάληξη –**τερος**.

Προσέχω την κατηγορία του επιθέτου, όταν φτιάχνω τον συγκριτικό βαθμό με μία λέξη. (👁→48)

περισσότερο (>) – ίσον (=) – λιγότερο (<)

Αν θέλω να πω ότι το ουσιαστικό Α έχει το χαρακτηριστικό του επιθέτου στον ίδιο βαθμό ή λιγότερο από το ουσιαστικό Β, τότε χρησιμοποιώ αντίστοιχα τις λέξεις **το ίδιο / εξίσου** ή τη λέξη **λιγότερο** στη θέση της λέξης **πιο**.

*Ο Α είναι **πιο** ψηλός **από** τον Β.*
*Ο Α είναι **το ίδιο / εξίσου** ψηλός **με** τον Β.*
*Ο Α είναι **λιγότερο** ψηλός **από** τον Β.*

*Ο Γιώργος είναι **πιο ψηλός / ψηλότερος από** τον Βασίλη.*

*Ο Γιώργος είναι **το ίδιο ψηλός με** τον Νίκο.*

*Ο Γιώργος είναι **λιγότερο ψηλός από** τον Γιάννη.*

Μπορώ να εκφράσω το ίσον (=) και με τα επιρρήματα **τόσο – όσο**. Αν χρησιμοποιήσω αυτή την έκφραση αρνητικά («δεν»), τότε εκφράζω το λιγότερο.

*Ο Γιώργος είναι **τόσο** ψηλός **όσο** (και) ο Νίκος. (=το ίδιο)*

*Ο Γιώργος **δεν** είναι **τόσο** ψηλός **όσο** ο Γιάννης. (=λιγότερο)*

Όταν χρησιμοποιώ τα επιρρήματα **τόσο** – **όσο** προσέχω σε ποια πτώση βάζω τα επίθετα και τα ουσιαστικά. Η πτώση εξαρτάται από τη συντακτική τους λειτουργία σε σχέση με το ρήμα (π.χ. είναι→ Ονομαστική, έχω→ Αιτιατική).

*Ο καφές μου είναι τόσο **γλυκός** όσο και ο δικός σου.*

*Δεν έχω τόσο **καλούς φίλους** όσο (έχεις) εσύ.*

Συνηθισμένες εκφράσεις με συγκριτικό βαθμό

- Όλο και + Συγκριτικός

Όλο και περισσότεροι Έλληνες σπουδάζουν στο εξωτερικό.

- Δεν + Ρήμα + Συγκριτικός + Ουσιαστικό (πολύ συχνά)

*Δεν έχω ξαναδεί **ωραιότερη** γυναίκα.*

3.3.2 Σχετικός Υπερθετικός

Χρησιμοποιώ τον σχετικό υπερθετικό για να δείξω ότι ένα ουσιαστικό έχει μια ιδιότητα σε μεγαλύτερο βαθμό από όλα τα άλλα όμοιά του.

Η Άννα είναι όμορφη. (θετικός)

Η Κατερίνα είναι πιο όμορφη / ομορφότερη από την Άννα. (συγκριτικός)

*Η Όλγα είναι **η πιο όμορφη / η ομορφότερη** από όλες. (σχετικός υπερθετικός)*

Μπορώ να φτιάξω τον σχετικό υπερθετικό του επιθέτου με τρεις λέξεις ή με δύο λέξεις.
Και οι δύο τύποι έχουν ακριβώς την ίδια σημασία.

Άρθρο + συγκριτικός βαθμός (πιο) → ο πιο έξυπνος -η -ο (τρεις λέξεις)
Άρθρο + συγκριτικός βαθμός (-τερος -η -ο) → ο εξυπνό-τερος -η -ο (δύο λέξεις)

⚠ Πάντα βάζω άρθρο πριν το επίθετο που είναι στον υπερθετικό βαθμό. Διαφορετικά, έχω συγκριτικό.

Ποτέ δεν χρησιμοποιώ τη λέξη **πιο** μαζί με την κατάληξη **–τερος**.

περισσότερο (>) – λιγότερο (<)

Όπως και με τον συγκριτικό βαθμό, αν θέλω να πω ότι το ουσιαστικό Α έχει σε μικρότερο βαθμό από όλα τα άλλα το χαρακτηριστικό του επιθέτου, τότε βάζω στη θέση του **πιο** τη λέξη **λιγότερο**.

*Ο Α είναι **ο πιο** ψηλός **από** όλους.*
*Ο Α είναι **ο λιγότερο** ψηλός **από** όλους.*

*Ο Γιάννης είναι **ο πιο ψηλός / ο ψηλότερος** από όλους.*

*Ο Βασίλης είναι **ο λιγότερο ψηλός** από όλους.*

Συνηθισμένες εκφράσεις με σχετικό υπερθετικό

- Ένας/μία/ένα από + Επίθετο

  *Είναι **ένας από τους καλύτερους** γιατρούς στην Ελλάδα.*

- Επίθετο + Ουσιαστικό + Ουσιαστικό σε Γενική (πολύ συχνά)

  *Είναι **ο καλύτερος** μαθητής της τάξης.*

- Επίθετο + Ουσιαστικό + σε + Ουσιαστικό σε Αιτιατική (πολύ συχνά)

  *Είναι **ο καλύτερος** μαθητής στην τάξη.*

3.3.3 Απόλυτος Υπερθετικός

Χρησιμοποιώ τον απόλυτο υπερθετικό, όταν θέλω να πω ότι ένα ουσιαστικό έχει το χαρακτηριστικό του επιθέτου σε πάρα πολύ μεγάλο βαθμό.

⚠ Με τον απόλυτο υπερθετικό **ΔΕΝ** κάνω σύγκριση.

Μπορώ να φτιάξω τον απόλυτο υπερθετικό με δύο τρόπους: με δύο/τρεις λέξεις ή με μία λέξη.

(πάρα) πολύ + θετικός βαθμός → (πάρα) πολύ έξυπνος -η -ο

θετικός βαθμός (ουδέτερο) + -τατος -η -ο → εξυπνότατος -η -ο

Λίγα είναι τα επίθετα που σχηματίζουν απόλυτο υπερθετικό με μία λέξη. Τα περισσότερα δεν έχουν τύπο σε **-τατος**, **-η**, **-ο**.

Το άρθρο δεν παίζει ρόλο στον σχηματισμό του απόλυτου υπερθετικού. Το χρησιμοποιώ ή δεν το χρησιμοποιώ ανάλογα με τους γενικούς κανόνες της γραμματικής. (👁→11-15)

*Θα μου φτιάξεις πάλι εκείνα τα **ωραιότατα** κουλουράκια;*

*Το φαγητό που έφαγα χτες ήταν **νοστιμότατο**.*

3.3.4 Γενικός πίνακας Παραθετικών των Επιθέτων

	Θετικός Βαθμός	Συγκριτικός Βαθμός	Σχετικός Υπερθετικός	Απόλυτος Υπερθετικός
Ε1	ακριβός	πιο ακριβός ακριβότερος	ο πιο ακριβός ο ακριβότερος	(πάρα) πολύ ακριβός ακριβότατος
Ε2	ωραίος	πιο ωραίος ωραιότερος	ο πιο ωραίος ο ωραιότερος	(πάρα) πολύ ωραίος ωραιότατος
Ε3	μαλακός	πιο μαλακός μαλακότερος	ο πιο μαλακός ο μαλακότερος	(πάρα) πολύ μαλακός μαλακότατος
Ε4	θαλασσής	(πιο θαλασσής) -	(ο πιο θαλασσής) -	- -
Ε5	τεμπέλης	πιο τεμπέλης -	ο πιο τεμπέλης -	(πάρα) πολύ τεμπέλης -
Ε6	βαρύς	πιο βαρύς βαρύτερος	ο πιο βαρύς ο βαρύτερος	(πάρα) πολύ βαρύς βαρύτατος
Ε7	συνεπής	πιο συνεπής συνεπέστερος	ο πιο συνεπής ο συνεπέστερος	(πάρα) πολύ συνεπής συνεπέστατος
Ε8	ενδιαφέρων	πιο ενδιαφέρων -	ο πιο ενδιαφέρων -	(πάρα) πολύ ενδιαφέρων -
Ε9	πολύς	πιο πολύς περισσότερος	ο πιο πολύς ο περισσότερος	- πλείστος

- Υπάρχουν επίθετα που σχηματίζουν παραθετικά μόνο με τη λέξη **πιο** (και **πάρα πολύ** για τον Απόλυτο Υπερθετικό). Τέτοια είναι:

  - τα επίθετα των κατηγοριών Ε4, Ε5, Ε8

τεμπέλης – πιο τεμπέλης – ο πιο τεμπέλης
ενδιαφέρων – πιο ενδιαφέρων – ο πιο ενδιαφέρων

  - σύνθετα επίθετα και ειδικά όσα έχουν μπροστά το **α-** στερητικό

άγνωστος – πιο άγνωστος – ο πιο άγνωστος (αλλά γνωστός – γνωστότερος)
αδύνατος – πιο αδύνατος – ο πιο αδύνατος κ.ά.

  - και μερικά ακόμη

κρύος – πιο κρύος – ο πιο κρύος
καινούργιος – πιο καινούργιος – ο πιο καινούργιος
παράξενος – πιο παράξενος – ο πιο παράξενος
περίεργος – πιο περίεργος – ο πιο περίεργος κ.ά.

- Υπάρχουν πολλά επίθετα που δεν σχηματίζουν καθόλου παραθετικά. Αυτό έχει σχέση τις περισσότερες φορές με τη σημασία τους. Τέτοια είναι:
  - Αυτά που συνήθως δηλώνουν **προέλευση ή καταγωγή** (π.χ. ελληνικός, αμερικανικός), **τόπο** (π.χ. χωριάτικος), **χρόνο** (π.χ. φετινός, χθεσινός), **ύλη** (π.χ. πλαστικός, χάρτινος), **κατάσταση που δεν αλλάζει** (π.χ. νεκρός).
  - Αυτά που η σημασία τους **περιέχει τον υπερθετικό** (π.χ. υπέροχος, απόλυτος, πανέμορφος, κακάσχημος).

3.3.5 Ανώμαλα Παραθετικά

Θετικός Βαθμός	**Συγκριτικός Βαθμός**	**Σχετικός Υπερθετικός**	**Απόλυτος Υπερθετικός**
καλός	πιο καλός καλύτερος	ο πιο καλός ο καλύτερος	(πάρα) πολύ καλός άριστος
κακός	πιο κακός χειρότερος	ο πιο κακός ο χειρότερος	(πάρα) πολύ κακός κάκιστος/χείριστος
λίγος	πιο λίγος λιγότερος	ο πιο λίγος ο λιγότερος	(πάρα) πολύ λίγος ελάχιστος
μεγάλος	πιο μεγάλος μεγαλύτερος	ο πιο μεγάλος ο μεγαλύτερος	(πάρα) πολύ μεγάλος μέγιστος
γλυκός	πιο γλυκός γλυκύτερος	ο πιο γλυκός ο γλυκύτερος	(πάρα) πολύ γλυκός γλυκύτατος
απλός	πιο απλός απλούστερος	ο πιο απλός ο απλούστερος	(πάρα) πολύ απλός απλούστατος
-	- ανώτερος	- ο ανώτερος	- ανώτατος
-	- κατώτερος	- ο κατώτερος	- κατώτατος

3.4 ΑΡΙΘΜΗΤΙΚΑ

3.4.1 Κατηγορίες Αριθμητικών

Τα αριθμητικά χωρίζονται σε **απόλυτα** και **τακτικά**.

Τα **απόλυτα αριθμητικά** δείχνουν την ποσότητα. Δηλώνουν, δηλαδή, απλά τον αριθμό.

Έχω ***τρεις*** *γιους.*

Είμαι ***είκοσι εννιά*** *χρονών.*

Σήμερα είναι Τρίτη ***τριάντα*** *Μαρτίου.*

Τα **τακτικά αριθμητικά** δείχνουν τη θέση που έχει το ουσιαστικό σε μια σειρά.

Ο Παναθηναϊκός είναι ***πρώτος*** *φέτος.*

Ο Γιάννης ήρθε ***πρώτος*** *στο πάρτι, ο Κώστας* ***δεύτερος*** *και εγώ* ***τρίτος****.*

	Απόλυτα Αριθμητικά	**Τακτικά Αριθμητικά**
1	**ένας – μία – ένα**	πρώτος -η -ο
2	δύο	δεύτερος -η -ο
3	**τρεις – τρεις – τρία**	τρίτος -η -ο
4	**τέσσερις – τέσσερις – τέσσερα**	τέταρτος -η -ο
5	πέντε	πέμπτος -η -ο
6	έξι	έκτος -η -ο
7	επτά/εφτά	έβδομος -η -ο
8	οκτώ/οχτώ	όγδοος -**η** -ο
9	εννέα/εννιά	ένατος -η -ο
10	δέκα	δέκατος -η -ο
11	έντεκα	ενδέκατος -η -ο
12	δώδεκα	δωδέκατος -η -ο
13	**δεκατρείς – δεκατρείς – δεκατρία**	δέκατος τρίτος - δέκατη τρίτη - δέκατο τρίτο
14	**δεκατέσσερις – δεκατέσσερις – δεκατέσσερα**	δέκατος τέταρτος, -η/η, -ο/-ο
15	δεκαπέντε	δέκατος πέμπτος, -η/η, -ο/-ο
16	δεκαέξι	δέκατος έκτος, -η/η, -ο/-ο

17	δεκαεπτά/δεκαεφτά	δέκατος έβδομος, -η/η, -ο/-ο
18	δεκαοκτώ/δεκαοχτώ	δέκατος όγδοος, -η/η, -ο/-ο
19	δεκαεννέα/δεκαεννιά	δέκατος ένατος, -η/η, -ο/-ο
20	είκοσι	εικοστός -ή -ό
21	**είκοσι ένας – είκοσι μία – είκοσι ένα**	εικοστός πρώτος - εικοστή πρώτη - εικοστό πρώτο
22	είκοσι δύο	εικοστός δεύτερος, -ή/η, -ό/-ο
30	τρι**άντα**	τριακοστός -ή -ό
31	τριάντα ένας – τριάντα μία – τριάντα ένα	τριακοστός πρώτος, -ή/η, -ό/-ο
40	σαρ**άντα**	τεσσαρακοστός -ή -ό
50	πεν**ήντα**	πεντηκοστός -ή -ό
60	εξ**ήντα**	εξηκοστός -ή -ό
70	εβδομ**ήντα**	εβδομηκοστός -ή -ό
80	ογδ**όντα**	ογδοηκοστός -ή -ό
90	ενεν**ήντα**	ενενηκοστός -ή -ό
100	εκατό	εκατοστός -ή -ό
101	εκατό**ν** ένας – εκατό**ν** μία – εκατό**ν** ένα	εκατοστός πρώτος, -ή/η, -ό/-ο
200	διακόσιοι – διακόσιες – διακόσια	διακοσιοστός -ή -ό
300	τριακόσιοι -ες -α	τριακοσιοστός -ή -ό
400	τετρακόσιοι -ες -α	τετρακοσιοστός -ή -ό
500	πεντακόσιοι -ες -α	πεντακοσιοστός -ή -ό
600	εξακόσιοι -ες -α	εξακοσιοστός -ή -ό
700	επτακόσιοι/εφτακόσιοι -ες -α	επτακοσιοστός -ή -ό
800	οκτακόσιοι/οχτακόσιοι -ες -α	οκτακοσιοστός -ή -ό
900	εννιακόσιοι -ες -α	εννιακοσιοστός -ή -ό
1.000	χίλιοι – χίλιες – χίλια	χιλιοστός -ή -ό
1.001	χίλιοι ένας – χίλιες μία – χίλια ένα	χιλιοστός πρώτος, -ή/η, -ό/-ο
2.000	δύο **χιλιάδες**	δισχιλιοστός -ή -ό
1.000.000	ένα εκατομμύριο	εκατομμυριοστός -ή -ό
1.000.000.000	ένα δισεκατομμύριο	δισεκατομμυριοστός -ή -ό

3.4.2 Κλίση των Αριθμητικών

Κλίνονται μερικά από τα απόλυτα και όλα τα τακτικά αριθμητικά.

Από τα απόλυτα αριθμητικά κλίνονται μόνο τα παρακάτω:

- Ο αριθμός **ένα** και όσοι τελειώνουν σε αυτόν (εκτός από το έντεκα) κλίνονται όπως το αόριστο άρθρο. (⊙→12)

  *Είμαι τριάντα **ενός** χρονών.*

- Οι αριθμοί **τρία** και **τέσσερα** και όσοι τελειώνουν σε αυτούς κλίνονται όπως παρακάτω:

	Αρσενικό	Θηλυκό	Ουδέτερο
Ονομαστική	τρεις/τέσσερις	τρεις/τέσσερις	τρία/τέσσερα
Γενική	τριών/τεσσάρων	τριών/τεσσάρων	τριών/τεσσάρων
Αιτιατική	τρεις/τέσσερις	τρεις/τέσσερις	τρία/τέσσερα

*Αγόρασα **τρεις** μπλούζες.*

- Οι λέξεις που δηλώνουν τις εκατοντάδες (200, 300, 400 κτλ.) από το **διακόσια** μέχρι και το **εννιακόσια** κλίνονται όπως τα επίθετα της ομάδας Ε1. Κατεβάζουν, όμως, τον τόνο στη Γενική.

	Αρσενικό	Θηλυκό	Ουδέτερο
Ονομαστική	διακόσιοι	διακόσιες	διακόσια
Γενική	διακοσίων	διακοσίων	διακοσίων
Αιτιατική	διακόσιους	διακόσιες	διακόσια

*Πήρα τηλέφωνο **διακόσιες** μαθήτριες σήμερα.*

- Ο αριθμός **χίλια** από το 1.000 έως το 1.999 κλίνεται όπως το **διακόσια**.

	Αρσενικό	Θηλυκό	Ουδέτερο
Ονομαστική	χίλιοι	χίλιες	χίλια
Γενική	χιλίων	χιλίων	χιλίων
Αιτιατική	χίλιους	χίλιες	χίλια

*Αυτό το σπίτι είναι **χιλίων** ετών.*

- Μετά το 1999 ακολουθεί το αριθμητικό **χιλιάδες** που έχει τις καταλήξεις των θηλυκών της ομάδας Ε1. **Προσοχή**: η λέξη είναι ίδια και στα τρία γένη.

	Αρσενικό	Θηλυκό	Ουδέτερο
Ονομαστική	χιλιάδες	χιλιάδες	χιλιάδες
Γενική	χιλιάδων	χιλιάδων	χιλιάδων
Αιτιατική	χιλιάδες	χιλιάδες	χιλιάδες

Έχω τα τηλέφωνα **τριών χιλιάδων** *ανθρώπων.*

Πλήρωσα **δεκατέσσερις χιλιάδες** *δολάρια.*

- Οι λέξεις **εκατομμύριο** και **δισεκατομμύριο** κλίνονται όπως το ουδέτερο των επιθέτων Ε1, αλλά κατεβάζουν τον τόνο στη Γενική. **Προσοχή**: οι λέξεις αυτές είναι ίδιες και στα τρία γένη.

	Ενικός Αριθμός	Πληθυντικός Αριθμός
Ονομαστική	(δισ)εκατομμύριο	(δισ)εκατομμύρια
Γενική	(δισ)εκατομμυρίου	(δισ)εκατομμυρίων
Αιτιατική	(δισ)εκατομμύριο	(δισ)εκατομμύρια

Κέρδισα **τρία εκατομμύρια** *ευρώ στο Λόττο.*

Στην Ελλάδα ζουν **πέντε εκατομμύρια** *γυναίκες.*

Κεφάλαιο 4: Το Επίρρημα

Τα επιρρήματα είναι λέξεις που δεν κλίνονται, πολύ συχνά πηγαίνουν μαζί με το ρήμα και μπορεί να δηλώνουν τον τόπο (πού), τον χρόνο (πότε), τον τρόπο (πώς) ή την ποσότητα (πόσο).

4.1 ΒΑΣΙΚΕΣ ΧΡΗΣΕΙΣ ΤΩΝ ΕΠΙΡΡΗΜΑΤΩΝ

Ρήμα + Επίρρημα (η σειρά δεν είναι σταθερή, το επίρρημα μπορεί να είναι πριν ή μετά από το ρήμα ή και μακριά από αυτό)

Η Νίκη έφαγε ***γρήγορα*** *το φαγητό της.*

Η Νίκη έφαγε το φαγητό της ***γρήγορα****.*

Επίρρημα + Επίθετο (οι δύο λέξεις είναι πάντα μαζί και πάντα πρώτο είναι το επίρρημα)

Ο Κωνσταντίνος είναι ***πολύ*** *όμορφος.*

Επίρρημα + Επίρρημα (τα δύο επιρρήματα είναι πάντα μαζί και το πρώτο δηλώνει συνήθως ποσότητα)

Η Γιάννα έφτασε ***αρκετά*** *αργά.*

Επίρρημα, Πρόταση (το επίρρημα είναι συνήθως στην αρχή, μπορεί όμως να βρίσκεται και στη μέση ή στο τέλος της πρότασης)

Ευτυχώς *δεν γράψαμε τεστ σήμερα. Δεν είχα διαβάσει τίποτα.*

Πρόταση + [Επίρρημα + Πρόταση] (τα αναφορικά επιρρήματα ξεκινούν δευτερεύουσα πρόταση, 👁→192)

Μπορούμε να φύγουμε ***όποτε*** *θέλεις.*

4.2 ΟΜΑΔΕΣ ΕΠΙΡΡΗΜΑΤΩΝ

4.2.1 Τρόπος

(Πώς;)

έτσι, αλλιώς, διαφορετικά, μαζί, γρήγορα, αργά, βιαστικά, καλά, άσχημα, όμορφα, ωραία, συμπαθητικά κ.ά.

Έτρεξε **γρήγορα**.

4.2.2 Χρόνος

(Πότε;)

τώρα, τότε, πριν, μετά, σήμερα, χτες, προχτές, αύριο, μεθαύριο, φέτος, πέρυσι, του χρόνου, απόψε, αργά, νωρίς, συχνά, σπάνια, συνήθως, συνέχεια, πάντα, ποτέ, αμέσως, επιτέλους, κιόλας, ξανά, καθημερινά, πάλι, ξαφνικά, πρόσφατα, τελευταία, συγχρόνως κ.ά.

Το βράδυ θα κοιμηθώ **νωρίς**.

4.2.3 Τόπος

(Πού;)

εδώ, εκεί, αλλού, μακριά, κοντά, παντού, πουθενά, μέσα, έξω, γύρω, βόρεια, νότια, ανατολικά, δυτικά, αριστερά, δεξιά, πάνω, κάτω, πίσω, μπροστά κ.ά.

Το μετρό είναι **μακριά**.

4.2.4 Ποσότητα

(Πόσο;)

τόσο, όσο, πολύ, περισσότερο, λίγο, λιγότερο, ελάχιστα, τουλάχιστον, σχεδόν, καθόλου, αρκετά, περίπου, απόλυτα, εντελώς, τελείως κ.ά.

Το μεσημέρι έφαγα **πολύ**.

4.2.5 Άλλα Επιρρήματα

ευτυχώς, δυστυχώς, ειλικρινά, αλήθεια, πραγματικά, σίγουρα, ίσως, πιθανόν, βέβαια, τελικά, φυσικά, απλώς, επομένως, ναι, όχι, προφανώς, ωστόσο, παρόλα αυτά κ.ά.

Όχι, *δεν ξέρει πού μένω.* **Ευτυχώς** *δεν του είπα!*

4.3 ΠΩΣ ΦΤΙΑΧΝΩ ΤΟ ΕΠΙΡΡΗΜΑ ΑΠΟ ΕΝΑ ΕΠΙΘΕΤΟ

Τα επιρρήματα που βγαίνουν από επίθετα έχουν σχεδόν πάντα τη μορφή της Ονομαστικής πληθυντικού του ουδετέρου του επιθέτου. Έχουν, δηλαδή, την κατάληξη **-α**. Εξαίρεση αποτελούν τα επιρρήματα που βγαίνουν από επίθετα Ε7 αλλά και μερικά ακόμα. Τα επιρρήματα αυτά τελειώνουν συνήθως σε **-ως**.

	Επίθετο	Επίρρημα		Επίθετο	Επίρρημα
Ε1	ακριβός -ή -ό	ακριβά	**Ε6**	βαρύς -ιά -ύ	βαριά
Ε2	ωραίος -α -ο	ωραία	**Ε7**	συνεπής -ής -ές	συνεπώς
Ε3	μαλακός -ιά -ό	μαλακά	**Ε8**	ενδιαφέρων -ουσα -ον	-
Ε4	θαλασσής -ιά -ί	-	**Ε9**	πολύς – πολλή – πολύ	πολύ
Ε5	τεμπέλης -α -ικο	τεμπέλικα			

Δεν φτιάχνονται όλα τα επιρρήματα από επίθετα, ούτε όλα τα επίθετα έχουν ένα αντίστοιχο επίρρημα. Κάποιες κατηγορίες επιθέτων, μάλιστα, δεν έχουν καθόλου επιρρήματα (Ε4, Ε8).

Επίθετο	Επίρρημα
καλός	καλά
πλαστικός	-
-	εδώ/εκεί

4.4 ΠΑΡΑΘΕΤΙΚΑ ΕΠΙΡΡΗΜΑΤΩΝ

Τα επιρρήματα φτιάχνουν παραθετικά όπως και τα επίθετα. Τα επιρρήματα που δεν έχουν αντίστοιχο επίθετο φτιάχνουν τα παραθετικά τους μόνο με το **πιο**.

Πρέπει να κάτσουμε ***πιο μπροστά****. Δεν βλέπω τίποτα.*

Μου άρεσε ***πιο πολύ*** *αυτή η ταινία και όχι η χθεσινή.*

Τα επιρρήματα που έχουν αντίστοιχο επίθετο έχουν την ίδια μορφή με την Ονομαστική πληθυντικού του ουδετέρου στον συγκριτικό και στον απόλυτο υπερθετικό βαθμό.

		Θετικός Βαθμός	**Συγκριτικός Βαθμός**	**Σχετικός & Απόλυτος Υπερθετικός**
Επίθετο	Αρσενικό	ο ωραίος	ωραιότερος/πιο ωραίος	ο ωραιότερος (ο) ωραιότατος
	Πληθυντικός Ουδετέρου	τα ωραία	ωραιότερα/πιο ωραία	τα ωραιότερα (τα) ωραιότατα
Επίρρημα		ωραία	ωραιότερα/πιο ωραία	- ωραιότατα

Τα επιρρήματα δεν έχουν σχετικό υπερθετικό. Έχουν μόνο απόλυτο υπερθετικό, που τον φτιάχνω με τον ίδιο τρόπο που φτιάχνω τον απόλυτο υπερθετικό των επιθέτων.

Σε εκτιμώ ***βαθύτατα****.*

Πέρασα ***πάρα πολύ καλά****.*

4.5 ΑΝΩΜΑΛΑ ΕΠΙΡΡΗΜΑΤΑ ΚΑΙ ΤΑ ΠΑΡΑΘΕΤΙΚΑ ΤΟΥΣ

Τα επίθετα που έχουν ανώμαλα παραθετικά, έχουν σχεδόν πάντα και ανώμαλα παραθετικά στα αντίστοιχα επίρρηματα.

Θετικός Βαθμός	**Συγκριτικός Βαθμός**	**Απόλυτος Υπερθετικός**
καλά	πιο καλά καλύτερα	πάρα πολύ καλά (άριστα)
κακά/άσχημα	πιο κακά/πιο άσχημα χειρότερα	πάρα πολύ άσχημα (κάκιστα)
λίγο	πιο λίγο λιγότερο	πάρα πολύ λίγο ελάχιστα
απλά	πιο απλά απλούστερα	πάρα πολύ απλά απλούστατα

4.6 ΕΠΙΡΡΗΜΑΤΑ ΣΕ -ΩΣ

Μερικά από τα επιρρήματα σε **-ως** προέρχονται από επίθετα της κατηγορίας Ε7 (-ης, -ης, -ες).

*διεθνής -ής -ές → διεθν**ώς***

Τα πιο συνηθισμένα είναι τα εξής: διεθνώς, εμφανώς, ακριβώς, επιεικώς, λεπτομερώς, προφανώς, ευτυχώς, δυστυχώς, συνήθως.

Υπάρχουν μερικά επιρρήματα που χρησιμοποιούνται μόνο με κατάληξη **-ως**, γιατί δεν έχουν τον κανονικό τύπο σε **-α**.

*αεροπορικός -ή -ό → αεροπορικ**ώς***

*οδικός -ή -ό → οδικ**ώς***

Υπάρχουν, όμως, και μερικά επιρρήματα που έχουν δύο τύπους, έναν σε **-ως** και έναν σε **-α**. Τις πιο πολλές φορές οι δύο τύποι έχουν την ίδια σημασία. Απλώς ο τύπος σε **-ως** είναι πιο παλιός και πιο επίσημος. Μερικά από αυτά είναι τα εξής: *απόλυτα = απολύτως, μάταια = ματαίως, παγκόσμια = παγκοσμίως, τελικά = τελικώς, σπάνια = σπανίως.*

Μερικές φορές, όμως, οι δύο τύποι έχουν διαφορετική σημασία.

ακριβά (← ακριβός) **ακριβώς (← ακριβής)**	Πλήρωσε ακριβά το λάθος του. Έλα ακριβώς στις 8.
άμεσα (= κατευθείαν) **αμέσως (= τώρα)**	Πρέπει να επικοινωνήσω άμεσα με τον διευθυντή. Έλα εδώ αμέσως.
απλά (= εύκολα) **απλώς (= μόνο)**	Μίλα μου πιο απλά. Δεν ξέρω καλά Ελληνικά. Θα μαγειρέψω εγώ. Απλώς θα φάμε πιο αργά.
ευχάριστα (= ωραία) **ευχαρίστως (= βεβαίως/φυσικά)**	Πέρασα ευχάριστα στο πάρτι. Ευχαρίστως να σας εξυπηρετήσω.
τέλεια (= πάρα πολύ καλά) **τελείως (= εντελώς/απόλυτα)**	Πέρασα τέλεια χτες το βράδυ. Είσαι τελείως χαζός.

4.7 ΤΟ ΕΠΙΡΡΗΜΑ «ΠΟΛΥ»

Όταν μιλάω, οι τύποι **πολύ - πολλή - πολλοί** του επιθέτου Ε9 ακούγονται το ίδιο με το επίρρημα **πολύ**. Όταν γράφω, όμως, προσέχω πότε χρησιμοποιώ το επίρρημα **πολύ** και πότε το επίθετο **πολύς**.

Δεν ξεχνάω τους κανόνες χρήσης των επιθέτων και των επιρρημάτων:

- Ουσιαστικό + είμαι (ή άλλο συνδετικό ρήμα ⊙→17) + Επίθετο

*Η δουλειά είναι **πολλή**. Θα χρειαστώ αρκετές ώρες.*

- Επίθετο + Ουσιαστικό

  *Με **πολλή** αγάπη!*

- Επίρρημα + Επίθετο + (Ουσιαστικό)

  *Δείχνει **πολύ** μεγάλη αγάπη στα παιδιά του.*

- Ρήμα + Επίρρημα

  *Έφαγα **πολύ**.*

- Επίρρημα + Επίρρημα

  *Πέρασα **πολύ** καλά.*

4.8 ΕΠΙΡΡΗΜΑΤΑ ΜΕ ΠΡΟΘΕΣΕΙΣ

Κάποια επιρρήματα πηγαίνουν συχνά με συγκεκριμένες προθέσεις. Τα περισσότερα από αυτά δηλώνουν τη θέση στον χώρο. (👁→168)

πάνω από, πάνω σε, κάτω από, δίπλα σε, ανάμεσα σε,
απέναντι από, μπροστά από/σε, πίσω από, μέσα σε, έξω από κ.ά.

 Για να υπάρχει πρόθεση μετά από επίρρημα, πρέπει οπωσδήποτε μετά την πρόθεση να υπάρχει ουσιαστικό ή αντωνυμία.

*Η λάμπα είναι **πάνω από** το τραπέζι.*

Αλλά: *Ο Γιάννης είναι **πάνω**. Θα έρθει σε λίγο.*

4.9 ΑΝΑΦΟΡΙΚΑ ΕΠΙΡΡΗΜΑΤΑ

Τα χρησιμοποιώ για να ξεκινήσω μια αναφορική πρόταση. (👁→192)

όπου/οπουδήποτε, όποτε/οποτεδήποτε, όπως, όσο

__Όπου__ και να πας, θα σε βρω.

*Θα φάμε **όποτε** θέλεις.*

Κεφάλαιο 5: Οι Αντωνυμίες

Οι Αντωνυμίες είναι λέξεις που μπαίνουν συνήθως στη θέση ουσιαστικών. Συχνά επίσης λειτουργούν και ως επίθετα ή ως αόριστο άρθρο.

5.1 ΠΡΟΣΩΠΙΚΕΣ ΑΝΤΩΝΥΜΙΕΣ (ΕΓΩ, ΕΣΥ, ΑΥΤΟΣ)

	Α' πρόσωπο		**Β' πρόσωπο**		**Γ' πρόσωπο**					
Ενικός Αριθμός										
	Δ	Α	**Δ**	Α	**Δ**	Α	**Δ**	Α	**Δ**	Α
Ονομαστική	**εγώ**	-	**εσύ**	-	**αυτός**	-	**αυτή**	-	**αυτό**	-
Γενική	**εμένα**	*μου*	**εσένα**	*σου*	**αυτού**	*του*	**αυτής**	*της*	**αυτού**	*του*
Αιτιατική	**εμένα**	*με*	**εσένα**	*σε*	**αυτόν**	*τον*	**αυτή(ν)**	*την*	**αυτό**	*το*
Πληθυντικός Αριθμός										
	Δ	Α	**Δ**	Α	**Δ**	Α	**Δ**	Α	**Δ**	Α
Ονομαστική	**εμείς**	-	**εσείς**	-	**αυτοί**	-	**αυτές**	-	**αυτά**	-
Γενική	**εμάς**	*μας*	**εσάς**	*σας*	**αυτών**	*τους*	**αυτών**	*τους*	**αυτών**	*τους*
Αιτιατική	**εμάς**	*μας*	**εσάς**	*σας*	**αυτούς**	*τους*	**αυτές**	*τις/(τες)*	**αυτά**	*τα*

5.1.1 Δυνατοί Τύποι (Δ)

Ονομαστική: Οι δυνατοί τύποι (Δ) στην Ονομαστική λειτουργούν συνήθως ως Υποκείμενο του ρήματος. **Προσοχή**: πολλές φορές δεν βάζω την αντωνυμία, γιατί καταλαβαίνω το πρόσωπο από την κατάληξη του ρήματος (π.χ. -ω = εγώ, -εις = εσύ κτλ.).

Εσύ *δεν ξέρεις καθόλου Ελληνικά;*

Καλημέρα. ~~*Εγώ*~~ *είμαι ο καθηγητής σας.*

Αιτιατική: Χρησιμοποιώ την Αιτιατική ως αντικείμενο του ρήματος ή μαζί με κάποια πρόθεση. (👁→63)

*Θέλω **εσένα** μόνο!*

*Ξεκίνησα να έρχομαι προς **εσένα**, αλλά χάλασε το αυτοκίνητο.*

Τις πιο πολλές φορές, όμως, εκφράζω το αντικείμενο με τους αδύνατους τύπους (Α). (👁→61)

Γενική: Οι δυνατοί τύποι της Γενικής δεν χρησιμοποιούνται σχεδόν ποτέ μόνοι τους. Χρησιμοποιούνται, όμως, μαζί με τους αδύνατους (Α), για να δώσουμε έμφαση. (👁→63)

5.1.2 Αδύνατοι Τύποι (Α) (Κλιτικά)

Βασικές πληροφορίες

Οι αδύνατοι τύποι (ή κλιτικά) (Α) έχουν ακριβώς την ίδια σημασία με τους δυνατούς (Δ). Τους χρησιμοποιώ, όμως, με άλλο τρόπο.

Τα κλιτικά είναι **πάντα** αντικείμενα του ρήματος και βρίσκονται **πάντα** δίπλα σε αυτό. Δεν μπαίνει **ποτέ** κάποια λέξη ανάμεσα στο κλιτικό και το ρήμα.

***Σας** τηλεφώνησε ο Γιάννης; **Μου** είπε ότι **σας** είδε χτες στο μετρό.*

Αν έχω ένα ρήμα που παίρνει αντικείμενο, συχνά βάζω στη θέση του αντικειμένου ένα κλιτικό. Αυτό το κάνω για συντομία, όταν είναι εύκολο να καταλάβω ποιο είναι το αντικείμενο.

*Φώναξε τον Γιώργο και πες **του** να έρθει στο γραφείο.*

Αν το αντικείμενο **δεν έχει πρόθεση** (*σε/από/για*), τότε επιλέγω ένα κλιτικό σε Αιτιατική.

<table>
<tr><th>Δυνατός Τύπος ή Ουσιαστικό</th><th colspan="2">Αδύνατος Τύπος (κλιτικό)</th></tr>
<tr><td>Η Ελίνα ρωτάει εμένα.</td><td rowspan="6">Η Ελίνα</td><td>με ρωτάει.</td></tr>
<tr><td>Η Ελίνα ρωτάει εσένα.</td><td>σε ρωτάει.</td></tr>
<tr><td>Η Ελίνα ρωτάει αυτόν/τον Κώστα.
Η Ελίνα ρωτάει αυτήν/την Ελένη.
Η Ελίνα ρωτάει αυτό/το παιδί.</td><td>τον ρωτάει.
την ρωτάει.
το ρωτάει.</td></tr>
<tr><td>Η Ελίνα ρωτάει εμάς.</td><td>μας ρωτάει.</td></tr>
<tr><td>Η Ελίνα ρωτάει εσάς.</td><td>σας ρωτάει.</td></tr>
<tr><td>Η Ελίνα ρωτάει αυτούς/τους άνδρες.
Η Ελίνα ρωτάει αυτές/τις γυναίκες.
Η Ελίνα ρωτάει αυτά/τα παιδιά.</td><td>τους ρωτάει.
τις ρωτάει.
τα ρωτάει.</td></tr>
</table>

Αν το αντικείμενο **έχει πρόθεση** (σε/από/για), τότε επιλέγω ένα κλιτικό σε Γενική.

Δυνατός Τύπος ή Ουσιαστικό	Αδύνατος Τύπος (κλιτικό)	
Ο Αλέξης απαντάει **σε εμένα**.	Ο Αλέξης	**μου** απαντάει.
Ο Αλέξης απαντάει **σε εσένα**.		**σου** απαντάει.
Ο Αλέξης απαντάει **σε αυτόν**/στον Κώστα. Ο Αλέξης απαντάει **σε αυτήν**/στην Ελένη. Ο Αλέξης απαντάει **σε αυτό**/στο παιδί.		**του** απαντάει. **της** απαντάει. **του** απαντάει.
Ο Αλέξης απαντάει **σε εμάς**.		**μας** απαντάει.
Ο Αλέξης απαντάει **σε εσάς**.		**σας** απαντάει.
Ο Αλέξης απαντάει **σε αυτούς**/στους άνδρες. Ο Αλέξης απαντάει **σε αυτές**/στις γυναίκες. Ο Αλέξης απαντάει **σε αυτά**/στα παιδιά.		**τους** απαντάει. **τους** απαντάει. **τους** απαντάει.

Τα κλιτικά σε Αιτιατική μπορεί να αναφέρονται και σε **έμψυχα** (ανθρώπους, ζώα κτλ.) και σε **άψυχα** (πράγματα, ιδέες, καταστάσεις κτλ.). Αντίθετα, τα κλιτικά σε Γενική αναφέρονται σχεδόν πάντα σε **έμψυχα**.

Έγραψα **την εργασία μου**. → **Την** *έγραψα.*

Έδωσα τα χρήματα **στη Μάχη**. → **Της** *έδωσα τα χρήματα.*

Κλιτικά με Προστακτική ή Μετοχή σε -οντας/-ώντας

Τα κλιτικά μπαίνουν πάντα ακριβώς **πριν** από το ρήμα σε όλες τις περιπτώσεις, εκτός αν το ρήμα είναι σε Προστακτική ή αν αντί για ρήμα έχουμε μετοχή σε **-οντας/-ώντας**. Σε αυτές τις περιπτώσεις τα κλιτικά μπαίνουν αμέσως **μετά** το ρήμα.

Της *μίλησε για τον Νίκο.* *Θέλει να* **της** *μιλήσει για τον Νίκο.*

Μίλησέ **μου** *για τον Νίκο.* *Μιλώντας* **της** *για τον Νίκο άρχισε να κλαίει.*

Με την **Προστακτική** και την **Ενεργητική Μετοχή** μπορώ να χρησιμοποιήσουμε και τον τύπο της Αιτιατικής πληθυντικού του θηλυκού **τες**.

Φώναξε τις κυρίες. = Φώναξέ **τες/τις**.

Βλέποντας τις φίλες μου ένιωσα καλύτερα. = Βλέποντάς **τες/τις** *ένιωσα καλύτερα.*

Όταν το κλιτικό είναι μετά το ρήμα ή τη μετοχή, τότε κάποιες φορές πρέπει να βάλω δύο τόνους. (→66)

Ο τύπος «**τες**» χρησιμοποιείται μόνο **μετά** από ρήμα σε Προστακτική ή μετοχή σε -**οντας**/-**ώντας**.

Μου αρέσουν αυτές οι καραμέλες. Δώσ' **τες** *μου, σε παρακαλώ.*

Ρήμα με δύο κλιτικά

Μερικά ρήματα έχουν δύο αντικείμενα. Αν θέλω, μπορώ να βγάλω το ένα ή και τα δύο αντικείμενα και στη θέση τους να βάλω κλιτικά. Αν έχω δύο κλιτικά, τότε η σειρά τους είναι η εξής:

Κλιτικό πριν το ρήμα	**κλιτικό σε Γενική + κλιτικό σε Αιτιατική + ρήμα**	
	Έδωσα το βιβλίο **στη Μαρία**. Δεν έδωσα… Θα δώσω…. Πρέπει να δώσω… Πρέπει να μην… Μην δώσεις…	**Της** το έδωσα. Δεν της το έδωσα. Θα της το δώσω. Πρέπει να της το δώσω. Πρέπει να μην της το δώσω. Μην της το δώσεις.
Κλιτικό μετά το ρήμα	**ρήμα + κλιτικό σε Γενική + κλιτικό σε Αιτιατική** **ή** **ρήμα + κλιτικό σε Αιτιατική + κλιτικό σε Γενική**	**(ελεύθερη θέση)**
	Δώσε το βιβλίο **στη Μαρία**. Δίνοντας το βιβλίο στη Μαρία...	Δώσε **τής** το. / Δώσε τό της. / Δώσ' της το. / Δώσ' το της. Δίνοντάς της το... / Δίνοντάς το της...

Δυνατός τύπος (Δ) ή Αδύνατος τύπος (Α)

- Οι τύποι **Δ** δεν είναι τόσο συχνοί όσο οι τύποι **Α**. Υπάρχουν, όμως, κάποιες περιπτώσεις που χρησιμοποιώ τους τύπους **Δ** μόνους τους ή μαζί με τους **Α**.

- Οι τύποι **Α** πηγαίνουν πάντα μαζί με το ρήμα. Αν δεν έχω ρήμα, πρέπει να χρησιμοποιήσω δυνατό τύπο **Δ**.

  - Ποιος κέρδισε το Λόττο; - ***Εγώ****!*

  - Ποιον θέλει ο καθηγητής; - ***Εμένα****!*

- Χρησιμοποιώ τον τύπο **Δ**, όταν θέλω να δώσω έμφαση.

  Εγώ *νομίζω ότι δεν έγιναν έτσι τα πράγματα. (αντίθετα με εσένα ή με κάποιον άλλο)*

  Εμένα *αγαπάει η Μαρία. (= μόνο εμένα κι όχι εσένα ή κάποιον άλλο)*

- Αν θέλω να δώσω έμφαση στο αντικείμενο, μπορώ να χρησιμοποιήσω και τους δύο τύπους μαζί ή κλιτικό και αντικείμενο μαζί. Αυτό είναι πολύ συνηθισμένο και κάποιες φορές απαραίτητο, όταν το αντικείμενο μπαίνει μπροστά από το ρήμα.

  Εσένα *δεν* **σου** *αρέσει το σουβλάκι;*

  Τον υπολογιστή *μου* **τον** *αγόρασα από την Αμερική.*

5.2 ΚΤΗΤΙΚΕΣ ΑΝΤΩΝΥΜΙΕΣ (μου, σου, του – δικός μου/σου/του)

Οι κτητικές αντωνυμίες πηγαίνουν συνήθως μαζί με τα ουσιαστικά και δηλώνουν σε ποιον ανήκει κάτι.

5.2.1 μου, σου, του...

Ο τύπος **μου, σου, του**... μπαίνει αμέσως μετά το ουσιαστικό και δηλώνει σε ποιον ανήκει κάτι.

Προσωπική Αντωνυμία	Κτητική Αντωνυμία	Παράδειγμα
εγώ	**μου**	***Εγώ έχω*** *ένα αυτοκίνητο.* *Αυτό είναι το αυτοκίνητό* ***μου****.*
εσύ	**σου**	***Εσύ έχεις*** *μια τσάντα.* *Αυτή είναι η τσάντα* ***σου****.*
αυτός	**του**	***Αυτός έχει*** *μια γάτα.* *Αυτή είναι η γάτα* ***του****.*
αυτή	**της**	***Αυτή έχει*** *έναν σκύλο.* *Αυτός είναι ο σκύλος* ***της****.*
αυτό	**του**	***Αυτό το παιδί έχει*** *μια μπάλα.* *Αυτή είναι η μπάλα* ***του****.*
εμείς	**μας**	***Εμείς έχουμε*** *μια δασκάλα.* *Αυτή είναι η δασκάλα* ***μας****.*
εσείς	**σας**	***Εσείς έχετε*** *έναν καθηγητή.* *Αυτός είναι ο καθηγητής* ***σας****.*
αυτοί	**τους**	***Αυτοί έχουν*** *ένα σπίτι.* *Αυτό είναι το σπίτι* ***τους****.*
αυτές	**τους**	***Αυτές έχουν*** *ένα μαγαζί.* *Αυτό είναι το μαγαζί* ***τους****.*
αυτά	**τους**	***Αυτά τα παιδιά έχουν*** *ένα ποδήλατο.* *Αυτό είναι το ποδήλατό* ***τους****.*

5.2.2 δικός μου/σου/του...

Ενικός Αριθμός			
Ονομαστική	(ο) δικός μου/σου/του	(η) δική/δικιά μου/σου/του	(το) δικό μου/σου/του
Γενική	(του) δικού μου...	(της) δικής/δικιάς μου...	(του) δικού μου...
Αιτιατική	(τον) δικό μου...	(την) δική/δικιά μου...	(το) δικό μου...
Πληθυντικός Αριθμός			
Ονομαστική	(οι) δικοί μου...	(οι) δικές μου...	(τα) δικά μου...
Γενική	(των) δικών μου...	(των) δικών μου...	(των) δικών μου...
Αιτιατική	(τους) δικούς μου...	(τις) δικές μου...	(τα) δικά μου...

Προσέχω	Παραδείγματα
Αυτός ο τύπος κλίνεται σαν τα επίθετα Ε3 και μετά παίρνει πάντα το **μου, σου, του** κτλ.	👁→39
Χρησιμοποιώ αυτόν τον τύπο ακριβώς όπως και τα επίθετα, δηλαδή πριν από ένα ουσιαστικό ή μαζί με ένα συνδετικό ρήμα.	*Το **δικό μου** αυτοκίνητο είναι κόκκινο.* *Το αυτοκίνητο είναι **δικό μου**.*
Όταν, όμως, δεν αναφέρω το ουσιαστικό, τότε πρέπει υποχρεωτικά να χρησιμοποιήσω αυτόν τον τύπο της κτητικής αντωνυμίας. Αυτό συμβαίνει πολύ συχνά, όταν μιλάω για κάτι που βρίσκεται μπροστά μου.	*- **Δικός μου** είναι αυτός; (δείχνω έναν καφέ)* *- Ναι, **δικός σου**.*
Χρησιμοποιώ την αντωνυμία **δικός – δική/δικιά – δικό μου...** με ή χωρίς άρθρο σύμφωνα με τους κανόνες χρήσης του οριστικού και του αόριστου άρθρου. (👁→11 & 12)	*Μου δανείζεις **το δικό σου** βιβλίο; (συγκεκριμένο βιβλίο)* *Μου δανείζεις **ένα δικό σου** βιβλίο; (γενικά)* *Αυτό το βιβλίο είναι **δικό σου**;*
Όταν χρησιμοποιώ αυτόν τον τύπο προσέχω ότι το κομμάτι **δικός – δική/δικιά – δικό** έχει σχέση με το ουσιαστικό, ενώ το κομμάτι **μου – σου – του** έχει σχέση με το πρόσωπο που έχει κάτι. Έτσι το πρώτο ταιριάζει με το ουσιαστικό και το δεύτερο με το πρόσωπο.	*-**Του Κώστα** είναι αυτή η **τσάντα**;* *- Ναι, (αυτή η τσάντα) είναι **δική** του.* ***Προσοχή**:* *δική → η τσάντα* *του → Κώστα*
Χρησιμοποιώ τον τύπο **δικός μου, δική/δικιά μου, δικό μου** και για να δώσω έμφαση.	*Αυτό το σπίτι είναι **δικό μου** και θα κάνω ό,τι θέλω εδώ μέσα.*

5.2.3 Πότε μια λέξη παίρνει δύο τόνους

Για να πάρει μια λέξη (ρήμα, ουσιαστικό κ.ά.) δύο τόνους, πρέπει:

- μετά τη λέξη να υπάρχει ένας αδύνατος τύπος της προσωπικής ή της κτητικής αντωνυμίας.

  Το όνομά ***μου*** *είναι Βιβιάνα.*

- και η λέξη να τονίζεται στην τρίτη συλλαβή από το τέλος.

  *Ποιό είναι το τη**λέ**φωνό σου;*

Σε αυτή την περίπτωση η λέξη παίρνει δεύτερο τόνο στην τελευταία συλλαβή.

 Με τις προσωπικές αντωνυμίες μπορεί να έχω δεύτερο τόνο, μόνο όταν το ρήμα είναι σε Προστακτική ή όταν έχω τύπο σε **-οντας/-ώντας**.

Διάβασέ μου *το βιβλίο.*

Περιγράφοντάς του *τι έγινε έβαλε τα κλάματα.*

 Αν έχω δύο κλιτικά μετά το ρήμα και το ρήμα παίρνει τον τόνο στη δεύτερη συλλαβή από το τέλος, βάζω τόνο στο πρώτο κλιτικό.

- Να σου φέρω το φαγητό; → - Ναι, ***φέρε μού το****./Ναι,* ***φέρε τό μου****.*

5.3 ΔΕΙΚΤΙΚΕΣ ΑΝΤΩΝΥΜΙΕΣ (αυτός, εκείνος, τόσος, τέτοιος)

Οι δεικτικές αντωνυμίες κλίνονται όπως τα επίθετα Ε1 (αυτός-ή-ό, εκείνος-η-ο, τόσος-η-ο) και Ε2 (τέτοιος-α-ο).

5.3.1 αυτός -ή -ό & εκείνος -η -ο

Ενικός Αριθμός			
Ονομαστική	αυτός	αυτή	αυτό
Γενική	αυτού	αυτής	αυτού
Αιτιατική	αυτό(ν)	αυτή(ν)	αυτό
Πληθυντικός Αριθμός			
Ονομαστική	αυτοί	αυτές	αυτά
Γενική	αυτών	αυτών	αυτών
Αιτιατική	αυτούς	αυτές	αυτά

 Το τελικό –**ν** μπαίνει κάποιες φορές μόνο στην Αιτιατική ενικού του αρσενικού και του θηλυκού. Το βρίσκουμε περισσότερο στις αντωνυμίες **αυτός** και **εκείνος**.

Προσέχω	**Παραδείγματα**
Συχνά χρησιμοποιώ το **αυτός**, όταν κάτι είναι πιο κοντά, ενώ με το **εκείνος** δείχνω ότι κάτι είναι πιο μακριά (σε τόπο ή σε χρόνο).	***Αυτό*** *το αυτοκίνητο μου αρέσει πολύ. Θα το βγάλω φωτογραφία.* *Βλέπεις* ***εκείνο*** *το αυτοκίνητο πίσω από τη στάση;* ***Αυτό*** *το καλοκαίρι που λες να πάμε διακοπές;* *Πριν μερικά χρόνια είχα πάει για καλοκαιρινές διακοπές στη Ρόδο.* ***Εκείνο*** *το καλοκαίρι γνώρισα τη γυναίκα μου.*
Προσοχή: Όταν χρησιμοποιώ τις αντωνυμίες **αυτός** και **εκείνος**, βάζω πάντα μετά από αυτές το οριστικό άρθρο, αν ακολουθεί ουσιαστικό.	***Αυτός ο*** *κύριος είναι ο καθηγητής μου.* ***Αυτός*** *είναι ο καθηγητής μου.* ***Εκείνη η*** *κοπέλα είναι η Μαρία.* ***Εκείνη*** *είναι η Μαρία.*

5.3.2 τόσος -η -ο

Προσέχω	**Παραδείγματα**
Χρησιμοποιώ την αντωνυμία **τόσος**, όταν δείχνω την ποσότητα κάποιου πράγματος, κάποιας κατάστασης κτλ.	*Γιατί κάνετε* ***τόση*** *φασαρία;* *Θέλω κι εγώ* ***τόσα*** *λεφτά.*
Πότε χρησιμοποιώ την αντωνυμία και πότε το επίρρημα **τόσο**; Οι κανόνες είναι οι ίδιοι με το **πολύς**. (⊙→58-59)	*Θέλω ακριβώς* ***τόση*** *πορτοκαλάδα.* *Ο πατέρας μου είναι* ***τόσο*** *ψηλός.*

5.3.3 τέτοιος -α -ο

Προσέχω	Παραδείγματα
Χρησιμοποιώ την αντωνύμια **τέτοιος** για κάτι που είναι περίπου το ίδιο με αυτό που δείχνω, για κάτι, δηλαδή, που ανήκει στην ίδια κατηγορία με κάτι άλλο.	*Θέλω κι εγώ **τέτοια** παπούτσια.* *Εγώ δεν έχω **τέτοιον** υπολογιστή.*
Όταν δείχνω μόνο ένα πράγμα, τότε μπορώ να βάλω και το αόριστο άρθρο (**ένας, μία, ένα**) μπροστά από την αντωνυμία.	*Έχω κι εγώ **μια τέτοια** μπλούζα.*

5.4 ΑΥΤΟΠΑΘΗΣ ΑΝΤΩΝΥΜΙΑ (Ο ΕΑΥΤΟΣ ΜΟΥ)

Η αυτοπαθής αντωνυμία κλίνεται όπως τα ουσιαστικά Α1. Στον πληθυντικό δεν έχει Ονομαστική και σπάνια χρησιμοποιούμε τη Γενική.

	Α΄ πρόσωπο	**Β΄ πρόσωπο**	**Γ΄ πρόσωπο**		
Ενικός Αριθμός					
Ονομ.	ο εαυτός μου	ο εαυτός σου	ο εαυτός του	ο εαυτός της	ο εαυτός του
Γεν.	του εαυτού μου	του εαυτού σου	του εαυτού του	του εαυτού της	του εαυτού του
Αιτ.	τον εαυτό μου	τον εαυτό σου	τον εαυτό του	τον εαυτό της	τον εαυτό του
Πληθυντικός Αριθμός					
Ονομ.	-	-	-	-	-
Γεν.	των εαυτών μας του εαυτού μας	των εαυτών σας του εαυτού σας	των εαυτών τους του εαυτού τους	των εαυτών τους του εαυτού τους	των εαυτών τους του εαυτού τους
Αιτ.	τους εαυτούς μας	τους εαυτούς σας	τους εαυτούς τους	τους εαυτούς τους	τους εαυτούς τους

Προσέχω	**Παραδείγματα**
Χρησιμοποιώ την αυτοπαθή αντωνυμία, όταν το ίδιο πρόσωπο κάνει κάτι και το αποτέλεσμα γυρίζει πίσω σ' αυτό.	*Από τότε που αρρώστησα προσέχω πολύ **τον εαυτό μου**.*
Η αυτοπαθής αντωνυμία έχει τρία κομμάτια: • τη λέξη **εαυτός**, που είναι **πάντα** σε αρσενικό γένος • το άρθρο που είναι κι αυτό **πάντα** αρσενικό και δεν λείπει **ποτέ** • το συμπλήρωμα **μου – σου – του**… που είναι το ίδιο όπως και στην κτητική αντωνυμία και δείχνει το γένος και το πρόσωπο	*Ο Γιάννης προσέχει τον **εαυτό** του.* *Η Μαρία σκέφτεται μόνο **τον** εαυτό της.* *Ο Γιάννης αγαπάει τον εαυτό **του**.* *Η Μαρία αγαπάει τον εαυτό **της**.*
Συνήθως η αυτοπαθής αντωνυμία λειτουργεί ως αντικείμενο του ρήματος. Αν το ρήμα παίρνει αντικείμενο με πρόθεση, τότε και η αντωνυμία μπορεί να παίρνει πρόθεση πριν το άρθρο.	*Στείλε ένα email **στον εαυτό σου**, για να μην χάσεις το αρχείο, αν χαλάσει ο υπολογιστής.*
Χρησιμοποιώ την αυτοπαθή αντωνυμία μόνο με την ενεργητική μορφή του ρήματος. Μπορώ επίσης να τη χρησιμοποιήσω και με ρήματα παθητικής φωνής, αλλά ενεργητικής διάθεσης (π.χ. σκέφτομαι). (👁→85) Σε κάποιες περιπτώσεις μπορώ να εκφράσω την ίδια σημασία χωρίς την αυτοπαθή αντωνυμία βάζοντας το ρήμα στην παθητική φωνή χωρίς να αλλάξει το υποκείμενο. Σε αυτές τις περιπτώσεις σχεδόν ποτέ δεν χρησιμοποιώ την αυτοπαθή αντωνυμία.	*Ο Γιώργος **αγαπάει** μόνο τον εαυτό του.* *Ο Γιώργος **σκέφτεται** μόνο τον εαυτό του.* *Η Κατερίνα **λούζει** (τον εαυτό της)/τα μαλλιά της.* *= Η Κατερίνα **λούζεται**.* *(Ο Πάνος **έγραψε** τον εαυτό του στο γυμναστήριο.)* *= Ο Πάνος **γράφτηκε** στο γυμναστήριο.*

5.5 ΑΛΛΗΛΟΠΑΘΗΣ ΑΝΤΩΝΥΜΙΑ (Ο ΕΝΑΣ ΤΟΝ ΑΛΛΟ)

Προσέχω	Παραδείγματα
Χρησιμοποιώ την αλληλοπαθή αντωνυμία, όταν θέλω να δείξω ότι δύο πρόσωπα κάνουν το ένα προς το άλλο την ίδια πράξη.	*Ο Γιώργος αγαπάει τη Μαρία. Η Μαρία αγαπάει τον Γιώργο.* = *Ο Γιώργος και η Μαρία αγαπάνε* ***ο ένας τον άλλο****.*
Η αλληλοπαθής αντωνυμία έχει τρία γένη, αλλά μόνο ενικό αριθμό. Δεν έχει πτώσεις, γιατί πάντα η πρώτη λέξη είναι σε Ονομαστική και η δεύτερη σε Αιτιατική. Σε κάθε περίπτωση το γένος και των δύο λέξεων είναι ίδιο.	*Ο Γιώργος και η Μαρία φίλησαν* ***ο ένας τον άλλο****.* *Η Μαρία και η Κατερίνα φίλησαν* ***η μία την άλλη****.* *Τα παιδιά φίλησαν* ***το ένα το άλλο****.*
Συνήθως η αντωνυμία αυτή λειτουργεί ως αντικείμενο του ρήματος. Αν το ρήμα παίρνει αντικείμενο με πρόθεση, τότε και η αντωνυμία μπορεί να πάρει πρόθεση πριν το δεύτερο άρθρο.	*Ο Γιώργος έδωσε* ***στη*** *Μαρία τα πράγματά της.* *Η Μαρία έδωσε* ***στον*** *Γιώργο τα πράγματά του.* = *Ο Γιώργος και η Μαρία έδωσαν* ***ο ένας στον άλλο*** *τα πράγματά τους.*
Όπως συμβαίνει και με την αυτοπαθή αντωνυμία, μπορώ να χρησιμοποιήσω την αλληλοπαθή αντωνυμία μόνο με την ενεργητική μορφή του ρήματος.	*Ο Γιώργος και η Μαρία αγαπάνε* ***ο ένας τον άλλο****.*
Μπορώ να τη χρησιμοποιήσω και με ρήματα παθητικής φωνής, αλλά ενεργητικής διάθεσης (π.χ. σκέφτομαι). (⊙→85)	*Ο Νίκος και η Όλγα σκέφτονται* ***ο ένας τον άλλον****.*
Σε λίγες περιπτώσεις μπορώ να εκφράσω την ίδια σημασία χωρίς την αλληλοπαθή αντωνυμία βάζοντας το ρήμα στην παθητική φωνή χωρίς να αλλάξει το υποκείμενο.	*Ο Γιώργος και η Μαρία* ***αγαπιούνται****.*

5.6 ΟΡΙΣΤΙΚΕΣ ΑΝΤΩΝΥΜΙΕΣ (ΙΔΙΟΣ, ΜΟΝΟΣ)

Οι οριστικές αντωνυμίες κλίνονται σαν τα επίθετα Ε1 (μόνος-η-ο) και Ε2 (ίδιος-α-ο).

5.6.1 ίδιος -α -ο

Προσέχω	**Παραδείγματα**
Η αντωνυμία **ίδιος** δείχνει ότι κάποια πρόσωπα/ αντικείμενα κτλ. δεν έχουν καμία διαφορά μεταξύ τους.	*Αυτές οι τρεις μπλούζες είναι **ίδιες**. Δεν έχουν καμία διαφορά.* *Αυτά τα δίδυμα είναι **ίδια**. Δεν μπορώ να τα ξεχωρίσω.*
Η αντωνυμία **ίδιος**, όταν χρησιμοποιείται με το οριστικό άρθρο, δείχνει συνήθως ότι ένα πρόσωπο/ αντικείμενο κτλ. είναι αυτό που κάποιος είχε συναντήσει και πιο πριν.	*Αυτό το αυτοκίνητο είναι **το ίδιο** που ήταν πίσω μας και πριν μία ώρα! Μας παρακολουθεί!*
Επίσης χρησιμοποιώ την αντωνυμία **ο ίδιος** με το άρθρο, όταν θέλω να πω ότι κάποιος θα κάνει κάτι από μόνος του και δεν θα στείλει κάποιον άλλο στη θέση του ή δεν θα δεχτεί βοήθεια.	*Ευχαριστώ που θέλεις να με βοηθήσεις, αλλά πρέπει να πάω **ο ίδιος** στην τράπεζα. Δεν μπορείς να πας εσύ για μένα.*

5.6.2 μόνος -η -ο

Προσέχω	**Παραδείγματα**
Χρησιμοποιώ την αντωνυμία **μόνος**, όταν θέλω να δείξω ότι κάποιος κάνει κάτι χωρίς παρέα ή χωρίς βοήθεια. Πολύ συχνά πηγαίνει μαζί με το μου/σου/ του.	*Έγραψε **μόνος του** όλο το βιβλίο. Κανείς δεν τον βοήθησε.* *Ήρθε **μόνη** (της) στο πάρτι. Μάλλον χώρισε με τον άνδρα της.*
Αν βάλω το οριστικό άρθρο μπροστά από την αντωνυμία **μόνος**, τότε η σημασία της αλλάζει και δείχνει τη μοναδικότητα, ότι δηλαδή μόνο το συγκεκριμένο ουσιαστικό μέσα σε ένα σύνολο έκανε κάτι ή έχει κάποιο χαρακτηριστικό.	*Ο Γιώργος και η Ελένη είναι **οι μόνοι** που έγραψαν καλά στην εξέταση.*

ο εαυτός μου → η πράξη γυρίζει σε μένα	*Αγαπώ **τον εαυτό μου**.*
ο ίδιος → δεν στέλνω κάποιον άλλον να κάνει κάτι	*Πρέπει να πάω **ο ίδιος** στην τράπεζα.*
μόνος μου → δεν έχω παρέα ο μόνος → δεν υπάρχει άλλος	*Πήγα **μόνος μου** στο πάρτι.* *Χουάν, είσαι **ο μόνος** που ξέρει Ισπανικά στην τάξη.*

5.7 ΕΡΩΤΗΜΑΤΙΚΕΣ ΑΝΤΩΝΥΜΙΕΣ (ΠΟΙΟΣ, ΠΟΣΟΣ, ΤΙ)

Οι ερωτηματικές αντωνυμίες κλίνονται όπως τα επίθετα Ε1 (πόσος) και Ε2 (ποιος), εκτός από την αντωνυμία **τι** που δεν κλίνεται.

⚠ Η αντωνυμία **ποιος** στην Αιτιατική του ενικού του αρσενικού έχει πολύ συχνά ένα τελικό **-ν**.

Σε ***ποιον*** *καθηγητή μιλούσες;*

Χρησιμοποιώ τις ερωτηματικές αντωνυμίες για να κάνω ερωτήσεις. Συνήθως ξεκινάω με αυτές, εκτός αν υπάρχει πλάγιος λόγος. (👁→178-179)

Ποιος *φωνάζει;*

Πόσα *μήλα έφαγες;*

Τι *είναι αυτό;*

Η ερωτηματική αντωνυμία έχει συντακτικό ρόλο μέσα στην πρόταση. Ανάλογα με τον ρόλο της παίρνει τη σωστή πτώση.

- **Υποκείμενο**: **Ποιος** ήρθε; (Υποκείμενο → Ονομαστική)
- **Αντικείμενο**: **Πόσο** χυμό θέλεις; (Αντικείμενο → Αιτιατική)
- **Κτήση**: **Ποιανού** είναι αυτό το βιβλίο; (Κτήση → Γενική)

5.7.1 ποιος -α -ο

Προσέχω	Παραδείγματα
Η προσωπική αντωνυμία **ποιος** μπορεί να είναι μόνη της ή μπορεί να λειτουργεί ως επίθετο.	***Ποιος*** *έγραψε στον πίνακα;* ***Ποιος*** *μαθητής έγραψε στον πίνακα;*
Αν είναι μόνη της και είναι σε πτώση Γενική, τότε σχεδόν πάντα χρησιμοποιώ τους δεύτερους τύπους της: ποιανού/ποιανής/ποιανού/ποιανών και τίνος (για όλα τα γένη).	***Ποιανού*** *είναι αυτή η τσάντα;* ***Ποιου/Ποιανού*** *παιδιού είναι αυτή η τσάντα;* ***Ποιανών*** *είναι τα κλειδιά;* ***Τίνος*** *είναι αυτό το βιβλίο;*
Όταν είναι μόνη της, χρησιμοποιείται περισσότερο για έμψυχα ή για πράγματα που έχουν αναφερθεί ξανά στον λόγο.	***Ποιος*** *ήρθε;* *- Θα φορέσω ένα παντελόνι.* *-* ***Ποιο*** *θα φορέσεις;*
Όταν λειτουργεί ως επίθετο, μπορώ να τη χρησιμοποιήσω και για έμψυχα και για άψυχα.	***Ποιες*** *μαθήτριες ήρθαν;* ***Ποιο*** *βιβλίο αγόρασες;*

5.7.2 πόσος -η -ο

Προσέχω	Παραδείγματα
Χρησιμοποιώ την αντωνυμία **πόσος**, όταν θέλω να μάθω την ποσότητα. Προσέχω, όμως, πότε χρησιμοποιώ την αντωνυμία **πόσος -η -ο** και πότε το ερωτηματικό επίρρημα **πόσο**. Οι κανόνες είναι οι ίδιοι με το **πολύς/πολύ**. (**⊙**→58-59)	***Πόσο*** *τυρί αγόρασες; (επίθ.)* ***Πόση*** *ζάχαρη θέλεις στον καφέ; (επίθ.)* **Αλλά** ***Πόσο*** όμορφη είναι η Μαρία; (επίρρ.)
Χρησιμοποιώ το **πόσος** στον ενικό, όταν περιμένω απάντηση σε μια συγκεκριμένη (επίσημη ή μη επίσημη) μονάδα μέτρησης (κιλά, γραμμάρια, λίτρα κτλ.).	- ***Πόση*** *βενζίνη έβαλες; - 20* ***λίτρα****.* - ***Πόσον*** *καφέ θέλεις; -* ***Μισό*** *ποτήρι.*
Χρησιμοποιώ το **πόσος** στον πληθυντικό, όταν περιμένω ως απάντηση έναν αριθμό.	- ***Πόσους*** *καφέδες ήπιες σήμερα;* - *Ήπια* ***τρεις****.*

5.7.3 τι

Προσέχω	Παραδείγματα
Όταν είναι μόνο του, το χρησιμοποιώ μόνο για άψυχα.	***Τι*** *έφαγες;*
Όταν λειτουργεί ως επίθετο, μπορώ να το χρησιμοποιήσω και για έμψυχα και για άψυχα.	***Τι*** *μαθητές έχεις φέτος;* ***Τι*** *φαγητό έφαγες;*
Όταν οι αντωνυμίες αυτές λειτουργούν ως επίθετα, τότε: • χρησιμοποιώ το **ποιος**, όταν ψάχνω συγκεκριμένο όνομα από ένα γνωστό σύνολο. • χρησιμοποιώ το **τι**, όταν ψάχνω τα γενικά χαρακτηριστικά μιας κατηγορίας.	- ***Ποιους*** *μαθητές είδες σήμερα;* - *Είδα τη Μαίρη και τον Αντρέα.* - ***Τι*** *μαθητές έχεις φέτος;* - *Έχω Ρώσους, Σέρβους και Ισπανούς.*

Ερωτηματικά στοιχεία	
Ερωτηματικές Αντωνυμίες	**Ερωτηματικά επιρρήματα**
ποιος -α -ο πόσος -η -ο τι	πού πώς πότε πόσο γιατί

5.8 ΑΟΡΙΣΤΕΣ ΑΝΤΩΝΥΜΙΕΣ

Όλες οι αόριστες αντωνυμίες κλίνονται όπως τα επίθετα Ε1, τα Ε2 ή το αόριστο άρθρο.
Οι αντωνυμίες **κάθε**, **κάτι** και **τίποτα** δεν κλίνονται.

Κλίση Αόριστων Αντωνυμιών	
Αόριστη Αντωνυμία	**Κλίνεται όπως**
κάποιος -α -ο	τα επίθετα Ε2
κάτι	(δεν κλίνεται)
κάθε	(δεν κλίνεται)
καθένας - καθεμία - καθένα	το αόριστο άρθρο (δεν έχει πληθυντικό)
κανένας/κανείς - καμία - κανένα	το αόριστο άρθρο (δεν έχει πληθυντικό)
τίποτα	(δεν κλίνεται)
μερικοί - μερικές - μερικά	τα επίθετα Ε1 (δεν έχει ενικό)
αρκετός -ή -ό	τα επίθετα Ε1
άλλος -η -ο	τα επίθετα Ε1
όλος -η -ο	τα επίθετα Ε1
ολόκληρος -η -ο	τα επίθετα Ε1

5.8.1 κάποιος -α -ο, κάτι

Προσέχω	**Παραδείγματα**
Χρησιμοποιώ την αντωνυμία **κάποιος -α -ο**, όταν μιλάω για ένα συγκεκριμένο πρόσωπο που δεν το ξέρω.	***Κάποιος*** *έφαγε το φαγητό. (= δεν ξέρω ποιος)*
Με τον ίδιο τρόπο χρησιμοποιώ και την αντωνυμία **κάτι**. Οι δύο αντωνυμίες χρησιμοποιούνται και για έμψυχα και για άψυχα, όταν πηγαίνουν μαζί με ουσιαστικά ή επίθετα.	***Κάποιος*** *μαθητής δεν είναι εδώ.* ***Κάποιο*** *αυτοκίνητο τράκαρε.* *Άκουσα **κάτι** έξω.* ***Περιμένω κάτι*** *φίλους μου απόψε.* *Έφαγα **κάτι** σουβλάκια το μεσημέρι.*
Όταν όμως οι αντωνυμίες αυτές είναι μόνες τους, το **κάποιος** πηγαίνει συνήθως με έμψυχα και το **κάτι** με άψυχα ή καμιά φορά και με ζώα.	***Κάποιος*** *μπήκε στο σπίτι μου και έκλεψε πολλά πράγματα.* *Θέλω να φάω **κάτι**.* ***Κάτι*** *με τσίμπησε.*

5.8.2 καθένας – καθεμία – καθένα, κάθε

Προσέχω	Παραδείγματα
Χρησιμοποιώ τις αντωνυμίες **κάθε** και **καθένας, καθεμία, καθένα** (έχουν ίδια σημασία), όταν όλα τα μέλη μιας ομάδας έχουν ένα χαρακτηριστικό.	***Κάθε*** *πόλη έχει τουλάχιστον ένα σχολείο.* *Πρέπει να μιλήσω με τον* ***καθένα*** *ξεχωριστά.* *Δεν μπορείς να ξέρεις τι υπάρχει στο μυαλό του* ***καθενός****.*
Χρησιμοποιώ το **κάθε**, όταν μετά έχω ουσιαστικό ή επίθετο. Χρησιμοποιώ το **καθένας**, όταν είναι μόνο του ή όταν έχω μετά λέξη άλλης κατηγορίας.	***Κάθε*** *Έλληνας πρέπει να ξέρει την ελληνική ιστορία.* ***Κάθε φορά*** *που τον βλέπω θυμάμαι τα παλιά.* ***Καθένας*** *από εσάς προσπαθεί πολύ, για να μάθει Ελληνικά.*
Η αντωνυμία **κάθε** μπορεί να δηλώνει και την επανάληψη.	*Πηγαίνω στον οδοντίατρο* ***κάθε*** *έξι μήνες.*
Και οι δύο αντωνυμίες μπορεί να έχουν μπροστά το οριστικό άρθρο.	***Ο καθένας*** *από εσάς πρέπει να γράψει μία έκθεση.* *Βάλε μου* ***την κάθε*** *μπλούζα σε άλλη σακούλα.*

5.8.3 κανένας/κανείς, καμία/καμιά, κανένα & τίποτα/τίποτε

Προσέχω	Παραδείγματα
Οι αντωνυμίες **κανένας, καμία, κανένα** και **τίποτα** δηλώνουν το μηδέν. Γι' αυτό δεν έχουν πληθυντικό.	*Δεν έχω* ***κανένα*** *ελληνικό βιβλίο. (= 0)*
Χρησιμοποιώ την αντωνυμία **κανένας** μόνη της συνήθως για έμψυχα.	***Κανένας*** *δεν δούλεψε χτες.*
Όταν, όμως, το **κανένας** λειτουργεί ως επίθετο, τότε μπαίνει μπροστά και από έμψυχα και από άψυχα ουσιαστικά.	***Κανένας*** *μαθητής δεν ξέρει Γερμανικά.* ***Κανένα*** *αυτοκίνητο δεν τρέχει πιο γρήγορα από το δικό μου.*
Χρησιμοποιώ την αντωνυμία **τίποτα** μόνη της και μόνο για άψυχα ουσιαστικά, για να δείξω τη μηδενική ποσότητα.	*Δεν θα φάω* ***τίποτα****.*
Προσοχή: Οι αντωνυμίες αυτές, για να έχουν αυτή τη σημασία, πηγαίνουν πάντα μαζί με αρνητικό τύπο του ρήματος (δεν/μην + ρήμα).	***Δεν*** ήρθε ***κανένας*** στο πάρτι. ***Δεν*** θα αγοράσω ***καμία*** μπλούζα.
Όταν δεν πηγαίνουν μαζί με αρνητικό (δεν/μην) τύπο του ρήματος, τότε η σημασία τους αλλάζει. Σε αυτή την περίπτωση τις χρησιμοποιώ για να κάνω συνήθως ερώτηση και μοιάζουν περισσότερο με το **κάποιος** και το **κάτι** ή το αόριστο άρθρο.	Είδες ***κανέναν*** καθηγητή; (= κάποιον) Θα φας ***κανένα*** σοκολατάκι; (= ένα) Αγόρασες ***τίποτα***; (= κάτι)

Οι τύποι του θηλυκού **καμία/καμιά** χρησιμοποιούνται σχετικά ελεύθερα. Κάποιες φορές προτιμώ τον τύπο **καμιά**, όταν χρησιμοποιώ την αντωνυμία με τη σημασία **«κάποια»**, ενώ προτιμώ τον τύπο **καμία**, όταν χρησιμοποιώ την αντωνυμία με τη σημασία **«ούτε μία»**.	– Έχεις ***καμιά*** καλή φούστα να βάλω στο πάρτυ; – Όχι δεν έχω **καμία**. Πρέπει να πάω να αγοράσω.

Λέξεις που η σημασία τους αλλάζει μεταξύ άρνησης και ερώτησης	
*Δεν ήρθε **κανένας** στο πάρτι. Ø*	*Μίλησες με **κανέναν**; (= κάποιον)*
*Δεν έφαγα **τίποτα**. Ø*	*Έφαγες **τίποτα** το μεσημέρι; (= κάτι)*
*Δεν θα πάω **πουθενά** το βράδυ. Ø*	*Θα πας **πουθενά** το βράδυ; (= κάπου)*
*Δεν θα πάω **ποτέ** στο Παρίσι. Ø*	*Έχεις πάει **ποτέ** στο Παρίσι; (= κάποτε)*
*Δεν ήπια **καθόλου** καφέ. Ø*	*Ήπιες **καθόλου** καφέ; (= λίγο ή πολύ;)*

5.8.4 μερικοί -ές -ά & αρκετός -ή -ό

	Προσέχω	**Παραδείγματα**
μερικοί **μερικές** **μερικά**	Η αντωνυμία **μερικοί -ές -ά** είναι πάντα στον πληθυντικό, γιατί δηλώνει ένα μέρος από ένα σύνολο προσώπων ή πραγμάτων. Συνήθως λειτουργεί ως επίθετο και πηγαίνει μαζί με ένα ουσιαστικό. Ειδικά όταν τη χρησιμοποιώ για ανθρώπους, όμως, μπορεί να είναι και μόνη της.	***Μερικές*** *μαθήτριες είναι άρρωστες σήμερα.* *Καμιά φορά ο δάσκαλος ξεχνάει τα ονόματα **μερικών** παιδιών.* ***Μερικοί*** *νομίζουν ότι ο Έλβις ζει ακόμα!*

αρκετός **αρκετή** **αρκετά**	Η αντωνυμία **αρκετός -ή -ό** έχει περίπου την ίδια σημασία με το **μερικοί**. Εκφράζει, όμως, μεγαλύτερη ποσότητα.	***Μερικά*** *παιδιά δεν πήγαν καλά στο τεστ. (= 20-40%)* ***Αρκετά*** *παιδιά δεν πήγαν καλά στο τεστ. (= 60-70%)*
	Η αντωνυμία **αρκετός** χρησιμοποιείται στον **ενικό αριθμό**, όταν εκφράζει ποσότητα που μετριέται με μια μονάδα μέτρησης (κιλά, λίτρα κ.ά.).	*Ήπια **αρκετό** καφέ. Δεν θέλω άλλο.*
	Χρησιμοποιείται στον **πληθυντικό**, όταν εκφράζει ποσότητα που μετριέται σε μονάδες (1, 2, 3…). Δες και την ερωτηματική αντωνυμία **πόσος**. (👁→73)	*Σήμερα ήπια **αρκετούς** καφέδες.*

5.8.5 όλος -η -ο & ολόκληρος -η -ο

Προσέχω	Παραδείγματα
Χρησιμοποιώ το **ολόκληρος** αντί για το **όλος**, όταν θέλω να δείξω ότι δεν λείπει ούτε ένα κομμάτι από ένα σύνολο.	*Έφαγα **όλο το** κοτόπουλο.* *(=όσες μερίδες υπήρχαν)* *Έφαγα ένα **ολόκληρο** κοτόπουλο. (=όλο το ζώο)*
Οι αντωνυμίες **όλος** και **ολόκληρος**, όπως και οι αντωνυμίες **αυτός** και **εκείνος**, παίρνουν οριστικό άρθρο, όταν μετά έχουμε ουσιαστικό.	***Όλες οι** καθηγήτριες είναι ευγενικές.* *Έφαγε **ολόκληρο το** κοτόπουλο.* ***Αλλά*** *Είμαστε **όλοι** εδώ;*
Εξαιρέσεις: 1. **όλη** μέρα – **όλη** νύχτα (**αλλά** και **όλη τη μέρα - όλη τη νύχτα**) 2. η αντωνυμία **ολόκληρος**, όταν πριν υπάρχει αριθμητικό. 3. η αντωνυμία **ολόκληρος** σε κάποιες εκφράσεις 4. η έκφραση **όλοι μαζί**	*Διαβάζει **όλη μέρα και όλη νύχτα**.* *Έφαγε **ένα ολόκληρο** κοτόπουλο / **δύο ολόκληρα** κοτόπουλα.* *Κοίτα τον, έγινε **ολόκληρος** (= μεγάλος) άντρας.* *Μετά το μάθημα πήγαμε **όλοι μαζί** για καφέ.*

5.8.6 άλλος -η -ο

Προσέχω	Παραδείγματα
Η αντωνυμία **άλλος** μπορεί να χρησιμοποιείται μόνη της, αλλά πολύ συχνά βάζω πριν από αυτή είτε το οριστικό είτε το αόριστο άρθρο είτε κάποια άλλη αόριστη ή ερωτηματική αντωνυμία. Μετά συνήθως έχω ένα ουσιαστικό.	*Θέλει **κάποιος άλλος** να του φέρω τίποτα;* *Χτες ήρθε **μια άλλη** δασκάλα.* *Ήρθε και **ο άλλος**.* ***Η άλλη** αδελφή μου είναι πιο ψηλή.* ***Τι άλλο** έχουμε να φάμε;* ***Ποιος άλλος** θα πάει;*
Η αντωνυμία **άλλος** χρησιμοποιείται συχνά με οριστικό άρθρο, όταν μιλάμε για κάτι συγκεκριμένο.	*Αυτή η μπλούζα δεν μου αρέσει. Θα αγοράσω **την άλλη***. **(= συγκεκριμένη άλλη μπλούζα)** ***Αλλά*** *Δεν μου αρέσει αυτή η μπλούζα. Θα ψάξω να βρω (μια) **άλλη***. (= όχι συγκεκριμένη/κάποια άλλη)

Προσοχή στα –λ-	
-λ-	**-λλ-**
ό**λ**ος -η -ο πο**λ**ύς/πο**λ**ύ	ά**λλ**ος -η -ο πο**λλ**ή/πο**λλ**οί/πο**λλ**ές πο**λλ**ά/πο**λλ**ών/πο**λλ**ούς

5.9 ΑΝΑΦΟΡΙΚΕΣ ΑΝΤΩΝΥΜΙΕΣ (ο οποίος, που, όποιος, όσος, ό,τι)

Οι αναφορικές αντωνυμίες κλίνονται όπως τα επίθετα Ε1 (όσος) και Ε2 (ο οποίος, όποιος). Οι αντωνυμίες **που** και **ό,τι** δεν κλίνονται.

Ενικός Αριθμός			
Ονομαστική	ο οποίος	η οποία	το οποίο
Γενική	του οποίου	της οποίας	του οποίου
Αιτιατική	τον οποίο	την οποία	το οποίο
Πληθυντικός Αριθμός			
Ονομαστική	οι οποίοι	οι οποίες	τα οποία
Γενική	των οποίων	των οποίων	των οποίων
Αιτιατική	τους οποίους	τις οποίες	τα οποία

Αναφορικά στοιχεία (ξεκινάνε πρόταση)		
Απλές Αναφορικές Αντωνυμίες	**Αοριστολογικές Αναφορικές Αντωνυμίες**	**Αναφορικά Επιρρήματα**
ο οποίος, η οποία, το οποίο που	όποιος -α -ο όσος -η -ο ό,τι	όπου/οπουδήποτε όποτε/οποτεδήποτε όπως όσο

*Αυτός είναι ο γιατρός **ο οποίος** με εξέτασε χτες.*

*Ξέρεις την κοπέλα **που** είδαμε στο μπαρ;*

*Φάε **ό,τι** προτιμάς και πιες **όσο** κρασί θέλεις.*

Για τη χρήση αυτών των αντωνυμιών δες το κεφάλαιο των αναφορικών προτάσεων. (→188-192)

 Η αντωνυμία **ο οποίος, η οποία, το οποίο** πάει ΠΑΝΤΑ μαζί με το άρθρο της και παίρνει τον τόνο στο **-οί-**. Η αντωνυμία **όποιος, όποια, όποιο** δεν παίρνει ΠΟΤΕ άρθρο και παίρνει τον τόνο στο αρχικό **ό-**.

Κεφάλαιο 6: Το Ρήμα

Ρήματα λέγονται οι λέξεις που δείχνουν ότι κάποιος/κάτι κάνει ή παθαίνει κάτι ή βρίσκεται σε μια κατάσταση. Γύρω από το ρήμα χτίζεται όλη η πρόταση.

6.1 ΤΑ ΧΑΡΑΚΤΗΡΙΣΤΙΚΑ ΤΟΥ ΡΗΜΑΤΟΣ

6.1.1 Ομάδες Ρημάτων

Χωρίζω τα ρήματα σε ομάδες ανάλογα με την κατάληξή τους και τη θέση του τόνου στον Ενεστώτα. Τα ρήματα Α τελειώνουν σε **-ω** και δεν έχουν ποτέ τόνο πάνω στην κατάληξη. Τα ρήματα Β1 τελειώνουν σε **-άω/-ώ** και ο τόνος είναι πάντα πάνω στην κατάληξη. Τα Β2 τελειώνουν σε **-ώ** και ο τόνος είναι πάντα πάνω στην κατάληξη. Επίσης υπάρχουν και τα ΑΒ ρήματα τα οποία τελειώνουν σε **-ω** αλλά έχουν διαφορετικές καταληξεις από τα Α. Τα ΑΒ Ρήματα είναι εφτά. Τα Γ1 ρήματα τελειώνουν σε **-ομαι**. Τα Γ2 ρήματα τελειώνουν σε **-άμαι** και είναι τέσσερα. Τα Γ3 τελειώνουν σε **-ιέμαι** και τα Γ4 τελειώνουν σε **-ούμαι**.

Ομάδα	Ενεργητική Φωνή		Ομάδα	Παθητική Φωνή
Α	γράφω	→	Γ1	γράφομαι
Β (Β1)	αγαπάω/αγαπώ	→	Γ3	αγαπιέμαι
Β (Β2)	θεωρώ	→	Γ4	θεωρούμαι

Ομάδα	Ενεργητική Φωνή		Ομάδα	Παθητική Φωνή
ΑΒ (μόνο 7 ρήματα)	πάω λέω ακούω τρώω κλαίω καίω φταίω	→	Γ1 (5 ρήματα)	- λέγομαι ακούγομαι τρώγομαι κλαίγομαι καίγομαι -

Ομάδα	Παθητική Φωνή
Γ2 (μόνο 4 ρήματα)	θυμάμαι κοιμάμαι λυπάμαι φοβάμαι

⚠ Όλα τα Α και Β (και τα ΑΒ) ρήματα τελειώνουν σε -**ω**. Όλα τα Γ (Γ1, Γ2, Γ3, Γ4) ρήματα τελειώνουν σε -**μαι**.

Όπως φαίνεται από τους παραπάνω πίνακες, τα Α ρήματα γίνονται στην Παθητική Φωνή Γ1.
Τα Β1 ρήματα γίνονται στην Παθητική Φωνή Γ3. Τα Β2 ρήματα γίνονται Γ4. Τα ΑΒ ρήματα γίνονται Γ1.
Υπάρχουν και ρήματα που έχουν μόνο Ενεργητική ή μόνο Παθητική Φωνή.

Πώς θα τα θυμάμαι;

Ενεργητική Φωνή	**Παθητική Φωνή**
(Α) -ω	(Γ1) -ομαι
(Β1) -άω/-ώ	(Γ3) -ιέμαι
(Β2) -ώ	(Γ4) -ούμαι
—	(Γ2) -άμαι

Παραδείγματα ρημάτων ανά ομάδα

Μερικά παραδείγματα ανά ομάδα φαίνονται παρακάτω.

Ρήματα	**Παραδείγματα**
Α (-ω)	*αγοράζω, αλλάζω, ανάβω, ανεβαίνω, ανοίγω, αποφασίζω, αρχίζω, βάζω, βγάζω, βγαίνω, βλέπω, βρίσκω, γράφω, γυρίζω, διαβάζω, δίνω, δουλεύω, ελπίζω, έχω, θέλω, κάνω, καπνίζω, καταλαβαίνω, κατεβαίνω, κλείνω, μαγειρεύω, μαθαίνω, μένω, μπαίνω, νομίζω, ξέρω, παίζω, παίρνω, περιμένω, πηγαίνω, πίνω, πλένω, πληρώνω, σπουδάζω, στέλνω, ταξιδεύω, τελειώνω, τρέχω, φέρνω, φεύγω, φτάνω, φτιάχνω, χάνω, χορεύω, ψάχνω κ.ά.*
Β1 (-άω/-ώ)	*αγαπάω, απαντάω, βοηθάω, διψάω, ζητάω, κερνάω, κολυμπάω, μιλάω, ξεκινάω, ξεχνάω, ξυπνάω, πεινάω, περνάω, περπατάω, πονάω, πουλάω, προχωράω, προτιμάω, ρωτάω, σταματάω, συναντάω, τραγουδάω, φοράω, χαιρετάω, χαλάω, χωράω κ.ά.*
Β2 (-ώ)	*αργώ, δημιουργώ, διαφωνώ, ενοχλώ, ευχαριστώ, ζω, θεωρώ, καλώ, λειτουργώ, μπορώ, οδηγώ, προσκαλώ, προσπαθώ, συγχωρώ, συμφωνώ, τηλεφωνώ, χρησιμοποιώ κ.ά.*
ΑΒ (-ω)	*πάω, λέω, ακούω, τρώω, κλαίω, καίω, φταίω*
Γ1 (-ομαι)	*αισθάνομαι, βάφομαι, βρίσκομαι, γίνομαι, γυμνάζομαι, δέχομαι, ενδιαφέρομαι, επισκέπτομαι, εργάζομαι, έρχομαι, ετοιμάζομαι, εύχομαι, ζαλίζομαι, κάθομαι, κουράζομαι, λούζομαι, ντύνομαι, ντρέπομαι, ξεκουράζομαι, ξυρίζομαι, παντρεύομαι, πλένομαι, ονειρεύομαι, σέβομαι, σηκώνομαι, σκέφτομαι, τσακώνομαι, υπόσχομαι, φαίνομαι, φαντάζομαι, χαίρομαι, χάνομαι, χρειάζομαι, χτενίζομαι κ.ά.*
Γ2 (-άμαι)	*θυμάμαι, κοιμάμαι, λυπάμαι, φοβάμαι*
Γ3 (-ιέμαι)	*αναρωτιέμαι, βαριέμαι, γεννιέμαι, ευχαριστιέμαι, κοιτιέμαι, κουνιέμαι, κρατιέμαι, παραπονιέμαι, στενοχωριέμαι, συναντιέμαι, φιλιέμαι, χασμουριέμαι κ.ά.*
Γ4 (-ούμαι)	*αρνούμαι, ασχολούμαι, αφηγούμαι, διηγούμαι, δικαιολογούμαι, εξυπηρετούμαι, θεωρούμαι, ικανοποιούμαι, κινούμαι, οδηγούμαι, περιποιούμαι, συγκρατούμαι, συνεννοούμαι, χρησιμοποιούμαι κ.ά.*

6.1.2 Πρόσωπο και Αριθμός

Το ρήμα έχει πρόσωπο και αριθμό. Συγκεκριμένα το ρήμα έχει τρία πρόσωπα (α΄, β΄, γ΄) και δύο αριθμούς (ενικός και πληθυντικός). Χρησιμοποιώ τον ενικό αριθμό για **ένα** πρόσωπο/πράγμα κτλ. ενώ τον πληθυντικό αριθμό για **πολλά**. Επίσης χρησιμοποιώ το β΄ πληθυντικό (**εσείς**) αν θέλω να είμαι **ευγενικός** ή για να δείξω **σεβασμό**.

Πρόσωπο	**Αριθμός**		
α΄	**Ενικός**	εγώ	διαβάζω
β΄	**Ενικός**	εσύ	διαβάζεις
γ΄	**Ενικός**	αυτός αυτή αυτό	διαβάζει

α΄	**Πληθυντικός**	εμείς	διαβάζουμε
β΄	**Πληθυντικός**	εσείς	διαβάζετε
γ΄	**Πληθυντικός**	αυτοί αυτές αυτά	διαβάζουν

Από την κατάληξη παίρνω την πληροφορία για το **πρόσωπο** και τον **αριθμό** του ρήματος. Έτσι το **-ω** στο «διαβάζ-**ω**» δείχνει ότι είναι το α΄ πρόσωπο ενικού αριθμού (**εγώ**), το **-εις** στο «διαβάζ-**εις**» είναι το β΄ πρόσωπο ενικού αριθμού (**εσύ**) κτλ.

6.1.3 Χρόνος (Χρονική βαθμίδα + Διάρκεια)

Η χρονική βαθμίδα του ρήματος δείχνει **πότε γίνεται κάτι**:

- στο παρελθόν (Τότε)
- στο παρόν (Τώρα)
- στο μέλλον (Μετά)

Τότε	Τώρα	Μετά
διάβαζα διάβασα είχα διαβάσει	διαβάζω έχω διαβάσει	θα διαβάζω θα διαβάσω θα έχω διαβάσει

Διάρκεια
Η διάρκεια φαίνεται στη ρίζα του ρήματος. Κάθε ρήμα έχει δύο ρίζες. Για παράδειγμα, για το «διαβάζω» έχω: (1) διαβαζ- και (2) διαβασ-. Το ρήμα μπορεί να μας δείξει μέσα από αυτές τις δύο ρίζες τη **διάρκεια** της πράξης/ενέργειας:

Σχηματισμός χρόνων

Ρίζα	Ενέργεια	Παράδειγμα	Χρόνος που φτιάχνω με κάθε ρίζα
διαβαζ-	Όταν η πράξη έχει διάρκεια ή επαναλαμβάνεται (Εξακολουθητική Ενέργεια)	Κάθε μέρα διαβάζω τα νέα στην εφημερίδα.	**Ενεστώτας**
		Τον επόμενο χρόνο θα διαβάζω τα νέα μόνο από το ίντερνετ.	**Συνεχής Μέλλοντας**
		Πριν δέκα χρόνια κάθε μέρα διάβαζα τα νέα από την εφημερίδα.	**Παρατατικός**
διαβασ-	Όταν γίνεται μια φορά (Στιγμιαία/Συνοπτική Ενέργεια) ή όταν δεν με ενδιαφέρει η διάρκεια	Αύριο θα διαβάσω την εφημερίδα μου.	**Απλός Μέλλοντας**
		Χθες διάβασα την εφημερίδα στο γραφείο μου.	**Αόριστος**
	Όταν η πράξη έχει ολοκληρωθεί (Συντελεσμένη Ενέργεια)	Έχω διαβάσει για τις εξετάσεις. Είμαι έτοιμη.	**Παρακείμενος**
		Είχα διαβάσει όλες τις εφημερίδες, πριν πάω στη δουλειά.	**Υπερσυντέλικος**
		Μέχρι αύριο θα έχω διαβάσει για τις εξετάσεις.	**Συντελεσμένος Μέλλοντας**

⚠ Ο Ενεστώτας, όπως φαίνεται στον παραπάνω πίνακα, δείχνει τη συνέχεια και την επανάληψη. Μπορεί όμως να δείχνει και αυτό που κάνω στο παρόν σε μια στιγμή.

Κάθε μέρα πίνω *έναν ελληνικό καφέ. (επανάληψη)*

Τώρα διαβάζω, *δεν μπορώ να σηκώσω το τηλέφωνο. (= Αυτή τη στιγμή διαβάζω.)*

Όπως φαίνεται από τον πίνακα, στα Νέα Ελληνικά, έχω **8 χρόνους**. Τι είναι χρόνος, φαίνεται στο παρακάτω σχήμα:

ΧΡΟΝΟΣ = Χρονική διάρκεια + Χρονική Βαθμίδα

π.χ. ***διάβασ*** *+ α*

διάβαζ + α

6.1.4 Φωνή

Όταν το ρήμα τελειώνει σε **-ω**/**-ώ**, τότε βρίσκεται στην Ενεργητική Φωνή (Ρήμα Α, Β, ΑΒ).

Διαβάζω *τα νέα στο κινητό μου.*

Όταν το ρήμα τελειώνει σε **-μαι**, τότε βρίσκεται στην Παθητική Φωνή (Ρήματα Γ).

Κοιμάμαι *οχτώ ώρες κάθε μέρα.*

 Η **φωνή** έχει σχέση με τη **μορφή** του ρήματος και όχι πάντα με τη σημασία.

Φωνή	**Κατάληξη**
Ενεργητική	-ω/-ώ
Παθητική	-μαι

6.1.5 Διάθεση

Τα ρήματα έχουν και διαθέσεις. Η **διάθεση** έχει σχέση μόνο με τη **σημασία** του ρήματος και **όχι με τη μορφή**. Τις περισσότερες φορές ένα ρήμα Ενεργητικής Φωνής έχει και ενεργητική διάθεση, ενώ ένα ρήμα Παθητικής Φωνής έχει μέση ή παθητική διάθεση. Υπάρχουν όμως ρήματα Παθητικής Φωνής (-**μαι**) αλλά ενεργητικής διάθεσης (σημασίας), Ενεργητικής Φωνής (-**ω**) αλλά ουδέτερης διάθεσης κ.ά.

διαβάζω: *ενεργητική φωνή & ενεργητική διάθεση*

προσκαλούμαι: *παθητική φωνή & παθητική διάθεση*

πλένομαι: *παθητική φωνή & μέση διάθεση*

Διάθεση	Το υποκείμενο	Παράδειγμα	Παραδείγματα Ρημάτων
Ενεργητική	ενεργεί, κάνει κάτι.	Ο Πέτρος διαβάζει εφημερίδα.	*διαβάζω, τρώω, μιλάω, έρχομαι*, εργάζομαι* κ.ά.*
Παθητική	δέχεται μια ενέργεια, παθαίνει κάτι.	Το καινούργιο βιβλίο δεν διαβάζεται.	*γράφομαι, διαβάζομαι, πίνομαι, στέλνομαι, βοηθιέμαι, προσκαλούμαι κ.ά.*
Μέση	ενεργεί και η ενέργεια γυρίζει σ΄ αυτό.	Η Ελένη λούζεται κάθε μέρα.	*λούζομαι, βάφομαι, γυμνάζομαι, πλένομαι, ετοιμάζομαι, ντύνομαι, χτενίζομαι, ξυρίζομαι, κοιτιέμαι, συγκρατούμαι, γράφομαι (=κάνω εγγραφή) κ.ά.*
Ουδέτερη	βρίσκεται σε μια κατάσταση.	Ο Γιάννης και ο Πέτρος κοιμούνται.	*κοιμάμαι, κάθομαι, ξεκουράζομαι, πεθαίνω, πεινάω, διψάω, αρρωσταίνω κ.ά.*

* Τα ρήματα Παθητικής Φωνής (**-μαι**) αλλά ενεργητικής διάθεσης λέγονται **αποθετικά**. Τέτοια είναι τα: *έρχομαι, εργάζομαι, σκέφτομαι, εύχομαι, ονειρεύομαι, υπόσχομαι, παραπονιέμαι, θυμάμαι, δέχομαι, αρνούμαι, αφηγούμαι κ.ά.*

Η αδελφή μου ***έρχεται*** *στην Ελλάδα κάθε καλοκαίρι.*

Οι φίλοι μου ***εργάζονται*** *στο πανεπιστήμιο.*

Δέχτηκα *την πρόταση γάμου.*

6.1.6 Έγκλιση

Τα ρήματα έχουν και εγκλίσεις. Οι εγκλίσεις δείχνουν τον τρόπο, δηλαδή το πώς εκφράζεται κάτι από τον ομιλητή. Δείχνουν τη στάση του ομιλητή σε σχέση με αυτό που λέει. Οι βασικές εγκλίσεις της Ελληνικής είναι τρεις: **Οριστική**, **Υποτακτική**, **Προστακτική**.

Έγκλιση	Δείχνει...	
Οριστική	Βέβαιο Πραγματικό Αντικειμενικό	
Υποτακτική	Επιθυμία Ευχή Προτροπή Συχνά απλώς συνδέει ρήματα	να να μην ας πριν όταν
Προστακτική	Προσταγή Επιθυμία	

Άλλοι **τρόποι** που δείχνουν τη στάση του ομιλητή φαίνονται στον παρακάτω πίνακα.

Δυνητική	Δυνατότητα Πιθανότητα Ευγένεια	θα + Παρατατικός θα + Υπερσυντέλικος
Ευχετική	Ευχή	μακάρι αχ και να ας

6.1.7 Το Ρήμα «Είμαι»

Ενεστώτας	**Απλός Μέλλοντας/Συνεχής Μέλλοντας**	**Αόριστος/Παρατατικός**
(εγώ) είμαι (εσύ) είσαι (αυτός-ή-ό) είναι (εμείς) είμαστε (εσείς) είσαστε/είστε (αυτοί-ές-ά) είναι	θα είμαι θα είσαι θα είναι θα είμαστε θα είσαστε/είστε θα είναι	ήμουν ήσουν(α) ήταν(ε) ήμασταν ήσασταν ήταν(ε)
Υποτακτική	να είμαι...	
Ενεργητική Μετοχή	όντας	

*Ο Γιώργος **είναι** φίλος μου.*

*Το καλοκαίρι **ήμασταν** στην Κρήτη.*

*Να **είσαι** καλό παιδί.*

6.2 ΟΡΙΣΤΙΚΗ

Χρησιμοποιώ Οριστική όταν θέλω να μιλήσω για κάτι βέβαιο, πραγματικό ή αντικειμενικό που έγινε, γίνεται ή θα γίνει.

6.2.1 Ενεργητική Φωνή

6.2.1.1 Ενεστώτας Ενεργητικής Φωνής

Χρησιμοποιώ Ενεστώτα:
- *για κάτι που γίνεται στο παρόν συνεχώς ή σε επανάληψη*
- *για κάτι που γίνεται στο παρόν μια φορά*
- *για γενικές αλήθειες*

Συνηθισμένες λέξεις ή φράσεις με Ενεστώτα:
τώρα, συνέχεια, συνεχώς, διαρκώς,
πάντα, συχνά, σπάνια, ποτέ,
κάθε μήνα, κάθε μέρα, κάθε καλοκαίρι
κ.ά.

Σχηματισμός Ενεστώτα – Ρήματα Α, Β1 & Β2

Ρήματα Α (-ω)	διαβάζω διαβάζεις διαβάζει διαβάζουμε διαβάζετε διαβάζουν(ε)	**-ω** **-εις** **-ει** **-ουμε** **-ετε** **-ουν(ε)**
Ρήματα Β1 (-άω/-ώ)	αγαπάω/αγαπώ αγαπάς αγαπάει/αγαπά αγαπάμε αγαπάτε αγαπάνε/αγαπούν	**-άω/-ώ** **-άς** **-άει/-ά** **-άμε** **-άτε** **-άνε/-ούν**
Ρήματα Β2 (-ώ)	οδηγώ οδηγείς οδηγεί οδηγούμε οδηγείτε οδηγούν(ε)	**-ώ** **-είς** **-εί** **-ούμε** **-είτε** **-ούν(ε)**

Κάθε μέρα ο Παναγιώτης **πηγαίνει** *στη δουλειά με τη μηχανή. (επανάληψη)*

Πρόσεχε! **Κλείνει** *η πόρτα! (αυτή τη στιγμή)*

Το καλοκαίρι στην Ελλάδα **κάνει** *ζέστη. (γενική αλήθεια)*

6.2.1.2 Συνεχής Μέλλοντας Ενεργητικής Φωνής

Χρησιμοποιώ Συνεχή Μέλλοντα για κάτι που θα γίνεται στο μέλλον συνεχώς ή σε επανάληψη.

Συνηθισμένες λέξεις ή φράσεις με Συνεχή Μέλλοντα:
από σήμερα, από αύριο, από μεθαύριο, από εδώ και πέρα, από εδώ και στο εξής,
πάντα, συχνά, πολλές φορές, σπάνια,
όλον τον χρόνο, όλη τη μέρα, όλη την ώρα, όλο το έτος,
όσον καιρό, όση ώρα
κ.ά.

Για να φτιάξω τον Συνεχή Μέλλοντα:

- παίρνω τον τύπο του Ενεστώτα.
- βάζω πριν από το ρήμα το «θα».

*διαβάζω → **θα** διαβάζω*

Σχηματισμός Συνεχούς Μέλλοντα – Ρήματα Α, Β1 & Β2

Ρήματα Α (-ω)	θα διαβάζω θα διαβάζεις θα διαβάζει θα διαβάζουμε θα διαβάζετε θα διαβάζουν(ε)	θα +	**-ω** **-εις** **-ει** **-ουμε** **-ετε** **-ουν(ε)**
Ρήματα Β1 (-άω/-ώ)	θα αγαπάω/αγαπώ θα αγαπάς θα αγαπάει/αγαπά θα αγαπάμε θα αγαπάτε θα αγαπάνε/αγαπούν	θα +	**-άω/-ώ** **-άς** **-άει/-ά** **-άμε** **-άτε** **-άνε/-ούν**
Ρήματα Β2 (-ώ)	θα οδηγώ θα οδηγείς θα οδηγεί θα οδηγούμε θα οδηγείτε θα οδηγούν(ε)	θα +	**-ώ** **-είς** **-εί** **-ούμε** **-είτε** **-ούν(ε)**

*Από εδώ και πέρα **θα διαβάζω** περισσότερο.*

*Μαμά, **θα** σε **αγαπάμε** για πάντα!*

*Συνεχής Μέλλοντας = **θα** + Ενεστώτας*

6.2.1.3 Παρατατικός Ενεργητικής Φωνής

Χρησιμοποιώ Παρατατικό για κάτι που γινόταν
στο παρελθόν συνεχώς ή σε επανάληψη.

Συνηθισμένες λέξεις ή φράσεις με Παρατατικό:

***Διάρκεια**:*
συνέχεια,
από... έως/ώς, από... μέχρι,
όλον τον καιρό, όλη τη μέρα, όλο το έτος
κ.ά.

***Επανάληψη**:*
όταν ήμουν παιδί, όταν ήμουν μικρός,
κάθε καλοκαίρι, κάθε εβδομάδα,
συνήθως, συχνά, κάπου κάπου, σπάνια
κ.ά.

⊙⊙ Για να φτιάξω τον Παρατατικό:

Ρήματα Α: διαβαζ-~~ω~~ + -α, -ες, -ε, -αμε, -ατε, -αν(ε) → διάβαζα κτλ.
έ-γραφ-~~ω~~ + -α, -ες, -ε, γράφ-αμε, γράφ-ατε, γράφ-ανε/έ-γραφαν → έγραφα κτλ.

Ρήματα Β1: αγαπ-~~άω~~ + -ούσ- + -α, -ες, -ε, -αμε, -ατε, -αν(ε) → αγαπούσα κτλ.
ή
αγαπ-~~άω~~ + -αγ- + -α, -ες, -ε, -αμε, -ατε, -αν(ε) → αγάπαγα κτλ.

⚠ Μερικά ρήματα Β1 δεν φτιάχνουν Παρατατικό και με τον δεύτερο τρόπο (-αγ-).

συναντάω → συναντούσα - ~~συνάνταγα~~

Ρήματα Β2: χρησιμοποι-~~ώ~~ + -ούσ- + -α, -ες, -ε, -αμε, -ατε, -αν(ε) → χρησιμοποιούσα κτλ.

⚠ *Προσοχή στον τόνο στον Παρατατικό!*

Ρήματα Α: *Ο τόνος είναι πάντα στην 3η συλλαβή από το τέλος (μαγ**εί**ρευα, ψ**ώ**νιζα, δι**ά**βαζα). Αν δεν έχω 3 συλλαβές, τότε βάζω ένα **έ-** στην αρχή της λέξης και φτιάχνω μια συλλαβή (**έ**γραφα, **έ**τρεχα, **έ**κανα). Όμως το **έ-** δεν μπαίνει ποτέ στο **εμείς** και στο **εσείς**, γιατί εκεί έχω πάντα τρεις συλλαβές (γράφαμε, γράφατε και όχι ~~έγραφαμε~~, ~~έγραφατε~~).*

Ρήματα Β: *Το **«-ούσ-»** έχει πάντα πάνω του τον τόνο.*
***Αλλά** όταν έχω **«-αγ-»** (μόνο στα Ρήματα Β1), τότε ο τόνος είναι στην 3η συλλαβή (αγάπαγα κ.ά.), όπως στα ρήματα Α.*

Σχηματισμός Παρατατικού – Ρήματα Α, Β1 & Β2

Ρήματα Α (-ω)	διάβαζα διάβαζες διάβαζε διαβάζαμε διαβάζατε διάβαζαν/διαβάζανε	έγραφα έγραφες έγραφε γράφαμε γράφατε έγραφαν/γράφανε	-α -ες -ε -αμε -ατε -αν/-ανε	
Ρήματα Β1 (-άω/-ώ)	αγαπούσα αγαπούσες αγαπούσε αγαπούσαμε αγαπούσατε αγαπούσαν(ε)	αγάπαγα αγάπαγες αγάπαγε αγαπάγαμε αγαπάγατε αγαπάγανε/ αγάπαγαν	-ούσα -ούσες -ούσε -ούσαμε -ούσατε -ούσαν(ε)	-αγα -αγες -αγε -άγαμε -άγατε -άγανε/ -αγαν
Ρήματα Β2 (-ώ)	οδηγούσα οδηγούσες οδηγούσε οδηγούσαμε οδηγούσατε οδηγούσαν(ε)		-ούσα -ούσες -ούσε -ούσαμε -ούσατε -ούσαν(ε)	

*Πέρσι **διάβαζα** δύο ώρες μαθηματικά κάθε μέρα.*

*Η γιαγιά μου **έφτιαχνε** ψωμί συχνά.*

*Όταν ήμασταν παιδιά, **θέλαμε** δύο παγωτά κάθε μέρα.*

Ρήματα με ανώμαλο Παρατατικό

Ενεστώτας	Παρατατικός
είμαι	ήμουν (👁→86)
έχω	είχα
ξέρω	ήξερα
θέλω	ήθελα
αρέσω	άρεσα
πρέπει	έπρεπε

⚠ **Προσοχή** στα παρακάτω ρήματα Β.

ζω → ζ**ούσα**
σπάω → έσπ**αγα**
δρω → δρ**ούσα**

⚠ **Προσοχή** στα ρήματα ΑΒ (πάω, λέω, ακούω, τρώω, κλαίω, καίω, φταίω) (👁→157).

6.2.1.4 Απλός Μέλλοντας Ενεργητικής Φωνής

Ο Απλός Μέλλοντας ονομάζεται επίσης **Συνοπτικός Μέλλοντας** ή **Στιγμιαίος Μέλλοντας**.

Χρησιμοποιώ τον Απλό Μέλλοντα για μια πράξη που θα γίνει μία φορά στο μέλλον και δεν με ενδιαφέρει η διάρκειά της.

Συνηθισμένες λέξεις ή φράσεις με Απλό Μέλλοντα:
αύριο, μεθαύριο,
τον επόμενο μήνα, την επόμενη μέρα, το επόμενο απόγευμα,
τον ερχόμενο χρόνο, την ερχόμενη εβδομάδα, το ερχόμενο πρωί,
του χρόνου
κ.ά.

👁👁 **Για να φτιάξω τον Απλό Μέλλοντα στα ρήματα Α**:

διαβάζω → θα διαβά**σω, -εις, -ει, -ουμε, -ετε, -ουν**

Σχηματισμός Απλού Μέλλοντα - Ρήματα Α

-νω→ -θω→ -ζω*→	-σω	τελειώνω → θα τελειώ**σ**ω πείθω → θα πεί**σ**ω διαβάζω → θα διαβά**σ**ω	θα διαβά**σ**ω θα διαβά**σ**εις θα διαβά**σ**ει θα διαβά**σ**ουμε θα διαβά**σ**ετε θα διαβά**σ**ουν(ε)	θα+	**-σω** **-σεις** **-σει** **-σουμε** **-σετε** **-σουν(ε)**
-ζω*→ -κω→ -γω→ -χω→ -χνω→ -σκω→	-ξω	αλλάζω → θα αλλά**ξ**ω μπλέκω → θα μπλέ**ξ**ω ανοίγω → θα ανοί**ξ**ω προσέχω → θα προσέ**ξ**ω φτιάχνω → θα φτιά**ξ**ω διδάσκω → θα διδά**ξ**ω	θα αλλά**ξ**ω θα αλλά**ξ**εις θα αλλά**ξ**ει θα αλλά**ξ**ουμε θα αλλά**ξ**ετε θα αλλά**ξ**ουν(ε)	θα+	**-ξω** **-ξεις** **-ξει** **-ξουμε** **-ξετε** **-ξουν(ε)**
-πω→ -βω→ -φω→ -πτω→	-ψω	λείπω → θα λεί**ψ**ω ανάβω → θα ανά**ψ**ω γράφω → θα γρά**ψ**ω ανακαλύπτω → θα ανακαλύ**ψ**ω	θα γρά**ψ**ω θα γρά**ψ**εις θα γρά**ψ**ει θα γρά**ψ**ουμε θα γρά**ψ**ετε θα γρά**ψ**ουν(ε)	θα+	**-ψω** **-ψεις** **-ψει** **-ψουμε** **-ψετε** **-ψουν(ε)**
-εύω→	-έψω	δουλεύω → θα δουλέ**ψ**ω	θα δουλ**έψ**ω θα δουλ**έψ**εις θα δουλ**έψ**ει θα δουλ**έψ**ουμε θα δουλ**έψ**ετε θα δουλ**έψ**ουν(ε)	θα+	**-έψω** **-έψεις** **-έψει** **-έψουμε** **-έψετε** **-έψουν(ε)**
-αύω→	-άψω	παύω → θα πά**ψ**ω	θα **πάψ**ω θα **πάψ**εις θα **πάψ**ει θα **πάψ**ουμε θα **πάψ**ετε θα **πάψ**ουν(ε)	θα+	**-άψω** **-άψεις** **-άψει** **-άψουμε** **-άψετε** **-άψουν(ε)**

Ρήματα σε -ζω με Απλό Μέλλοντα σε -σω ή σε -ξω

Γενικά τα περισσότερα ρήματα σε -ζω (και κυρίως τα ρήματα σε -ίζω) φτιάχνουν Απλό Μέλλοντα σε -σω.
π.χ. διαβάζω → θα διαβάσω, αγοράζω → θα αγοράσω, ετοιμάζω → θα ετοιμάσω, αρχίζω → θα αρχίσω κ.ά.

Υπάρχουν και κάποια ρήματα σε -ζω που φτιάχνουν Απλό Μέλλοντα σε -ξω,
όπως το αλλάζω → θα αλλάξω. Τα πιο συχνά από αυτά φαίνονται στον παρακάτω πίνακα.

αλλάζω → θα αλλάξω
κοιτάζω → θα κοιτάξω
πειράζω → θα πειράξω
παίζω → θα παίξω
φωνάζω → θα φωνάξω
βουλιάζω → θα βουλιάξω
στηρίζω → θα στηρίξω ***(σε -ίζω αλλά → -ξω)***
αγγίζω → θα αγγίξω ***(σε -ίζω αλλά → -ξω)***
σφυρίζω → θα σφυρίξω ***(σε -ίζω αλλά → -ξω)***

Ρήματα σε -εύω με Απλό Μέλλοντα σε -έψω ή σε -εύσω

Γενικά τα περισσότερα ρήματα σε **-εύω** φτιάχνουν Απλό Μέλλοντα σε **-έψω**.
π.χ. μαγειρ**εύω** → θα μαγειρ**έψω**, μαγ**εύω** → θα μαγ**έψω**, παντρ**εύω** → θα παντρ**έψω** κ.ά.

Κάποια ρήματα σε **-εύω** έχουν Απλό Μέλλοντα σε **-εύσω**. Τα πιο συχνά από αυτά φαίνονται στον παρακάτω πίνακα.

εκπαιδεύω → θα εκπαιδεύσω
δημοσιεύω → θα δημοσιεύσω
γοητεύω → θα γοητεύσω
απογοητεύω → θα απογοητεύσω
προοδεύω → θα προοδεύσω
απαγορεύω → θα απαγορεύσω

Θα αγοράσετε *καινούργια έπιπλα του χρόνου;*

Νίκο, **θα ανοίξεις** *την πόρτα;*

Αύριο **θα μαγειρέψω** *εγώ, εσύ δεν θα κάνεις τίποτα.*

Μερικά ρήματα σε **-νω** και τα ρήματα σε **-ρω** σχηματίζουν τον Απλό Μέλλοντα με τον τρόπο που φαίνεται στον παρακάτω πίνακα.

-νω→-νω	κρίνω κλίνω κ.ά.	θα κρίνω θα κλίνω	Ο Απλός Μέλλοντας σε αυτά τα ρήματα είναι ο τύπος του Ενεστώτα μαζί με το «θα».
-νω→-νω	μολύνω ενθαρρύνω απομακρύνω κ.ά.	θα μολύνω θα ενθαρρύνω θα απομακρύνω	
-αίνω→-άνω	γλυκαίνω πικραίνω ζεσταίνω τρελαίνω πεθαίνω ανασαίνω κ.ά.	θα γλυκάνω θα πικράνω θα ζεστάνω θα τρελάνω θα πεθάνω θα ανασάνω	
-άνω/-αίνω→-ήσω	αυξάνω αρρωσταίνω ανασταίνω κ.ά.	θα αυξήσω θα αρρωστήσω θα αναστήσω	
-άρω→-άρω	γουστάρω παρκάρω τρακάρω φρενάρω σοκάρω φρεσκάρω τσεκάρω κ.ά.	θα γουστάρω θα παρκάρω θα τρακάρω θα φρενάρω θα σοκάρω θα φρεσκάρω θα τσεκάρω	Ο Απλός Μέλλοντας σε αυτά τα ρήματα είναι ο τύπος του Ενεστώτα μαζί με το «θα».
-ίρω→-ίρω	σερβίρω κ.ά.	θα σερβίρω	

Θα ζεστάνεις *το νερό και μετά θα ρίξεις το ρύζι στην κατσαρόλα.*

Πού **θα παρκάρεις** *στο κέντρο της Αθήνας;*

Θα σερβίρετε *πρώτα το γλυκό και μετά τα φρούτα.*

Ρήματα με ανώμαλο Απλό Μέλλοντα

Γενικός πίνακας

βγαίνω	θα βγω
μπαίνω	θα μπω
βρίσκω	θα βρω
ανεβαίνω	θα ανέβω/θα ανεβώ
κατεβαίνω	θα κατέβω/θα κατεβώ
παίρνω	θα π**ά**ρω
πηγαίνω/πάω	θα π**ά**ω
πλένω	θα πλ**ύ**νω
φεύγω	θα φ**ύ**γω
λέω	θα πω
βλέπω	θα δω
πίνω	θα πιω
ξέρω	θα ξέρω
έχω	θα έχω
είμαι	θα είμαι
στέλνω	θα στ**εί**λω
μένω	θα μ**εί**νω
παραγγέλνω	θα παραγγ**εί**λω

θέλω	θα θελήσω
παθαίνω	θα πά**θ**ω
μαθαίνω	θα μά**θ**ω
βάζω	θα βά**λ**ω
βγάζω	θα βγά**λ**ω
πέφτω	θα πέσω
τρώω	θα φάω
ακούω	θα ακούσω
φταίω	θα φταίξω
καίω	θα κά**ψ**ω
κλαίω	θα κλά**ψ**ω
δίνω	θα δώσω
καταλαβαίνω	θα καταλάβω
φέρνω	θα φέρω
γίνομαι	θα γίνω
έρχομαι	θα έρθω
κάθομαι	θα καθίσω/θα κάτσω

Τα ρήματα «**γίνομαι**», «**έρχομαι**», «**κάθομαι**» είναι ρήματα Παθητικής Φωνής (Γ1), αλλά έχουν Ενεργητικό Απλό Μέλλοντα.

Σε κάποια από τα παραπάνω ανώμαλα ρήματα αλλάζει και η **κατάληξη**. Αυτά τα ρήματα φαίνονται στους παρακάτω πίνακες.

Ανώμαλα ρήματα με διαφορετική κατάληξη Απλού Μέλλοντα

Τα παρακάτω ρήματα έχουν διαφορετική ρίζα στον Απλό Μέλλοντα, αλλά και διαφορετικές καταλήξεις από τις συνηθισμένες του Απλού Μέλλοντα. Οι καταλήξεις τους είναι όπως αυτές των ρημάτων Β2 στον Ενεστώτα.

Ενεστώτας	Απλός Μέλλοντας	
βλέπω	θα δω θα δεις θα δει θα δούμε θα δείτε θα δουν/θα δούνε	-ω -εις -ει -ούμε -είτε -ουν/-ούνε
λέω	θα πω	
πίνω	θα πιω	
μπαίνω	θα μπω	
βγαίνω	θα βγω	
βρίσκω	θα βρω	
ανεβαίνω	θα ανεβώ	
κατεβαίνω	θα κατεβώ	

⚠ Τα ρήματα «**ανεβαίνω**» & «**κατεβαίνω**» έχουν δύο τύπους στον Απλό Μέλλοντα:

ανεβαίνω → θα ανεβώ -είς -εί -ούμε -**είτε** -ούν (Δες τον παραπάνω πίνακα)
θα ανέβω -εις -ει -ουμε -**ετε** -ουν

κατεβαίνω → θα κατεβώ -είς -εί -ούμε -**είτε** -ούν (Δες τον παραπάνω πίνακα)
θα κατέβω -εις -ει -ουμε -**ετε** -ουν

Τα ανώμαλα ρήματα «τρώω» και «πάω» στον Απλό Μέλλοντα (διαφορετική κατάληξη)

Τα ρήματα «**τρώω**» και «**πάω**» έχουν και αυτά διαφορετικές καταλήξεις από τις συνηθισμένες καταλήξεις του Απλού Μέλλοντα.

Ενεστώτας	Απλός Μέλλοντας	
τρώω	θα φάω θα φας θα φάει θα φάμε θα φάτε θα φάνε	-ω -ς -ει -με -τε -νε
Όπως το «θα φάω» κλίνεται και το «θα πάω».		

⚠ Το ρήμα «**πηγαίνω/πάω**» έχει Απλό Μέλλοντα «**θα πάω**» (= θα πάω μία φορά).
Ο τύπος «**θα πηγαίνω**» (=θα πηγαίνω συνέχεια) είναι Συνεχής Μέλλοντας.

Ρήματα που παίρνουν μόνο «θα»

Τα παρακάτω ρήματα φτιάχνουν Απλό Μέλλοντα με το **«θα»** και τον τύπο του Ενεστώτα.

Ενεστώτας	Απλός Μέλλοντας
είμαι	**θα** είμαι
έχω	**θα** έχω
κάνω	**θα** κάνω
ξέρω	**θα** ξέρω
περιμένω	**θα** περιμένω
πάω/πηγαίνω	**θα** πάω

Σχηματισμός Απλού Μέλλοντα – Ρήματα Β1 & Β2

Δεν υπάρχει κανόνας για το πότε ένα ρήμα Β (Β1 ή Β2) αλλάζει στον Απλό Μέλλοντα σε **-ήσω, -άσω, -έσω, -ήξω, -άξω**. Γενικά τα περισσότερα ρήματα Β έχουν Απλό Μέλλοντα σε **-ήσω**.

-άω/-ώ→	**-ήσω**	αγαπάω → θα αγαπ**ήσω** ρωτάω → θα ρωτ**ήσω** απαντάω → θα απαντ**ήσω** ξυπνάω → θα ξυπν**ήσω** συναντάω → θα συναντ**ήσω** περπατάω → θα περπατ**ήσω** σταματάω → θα σταματ**ήσω** φιλάω → θα φιλ**ήσω** αργώ → θα αργ**ήσω** τηλεφωνώ → θα τηλεφων**ήσω** χρησιμοποιώ → θα χρησιμοποι**ήσω**	θα αγαπ**ήσω** θα αγαπ**ήσεις** θα αγαπ**ήσει** θα αγαπ**ήσουμε** θα αγαπ**ήσετε** θα αγαπ**ήσουν(ε)**	**-ήσω** **-ήσεις** **-ήσει** **-ήσουμε** **-ήσετε** **-ήσουν(ε)**
-άω/-ώ→	**-άσω**	διψάω → θα διψ**άσω** πεινάω → θα πειν**άσω** γελάω → θα γελ**άσω** περνάω → (θα περ~~ν~~άσω) θα περ**άσω** ξεχνάω → (θα ξεχ~~ν~~άσω) θα ξεχ**άσω** κερνάω → (θα κερ~~ν~~άσω) θα κερ**άσω**	θα γελ**άσω** θα γελ**άσεις** θα γελ**άσει** θα γελ**άσουμε** θα γελ**άσετε** θα γελ**άσουν(ε)**	**-άσω** **-άσεις** **-άσει** **-άσουμε** **-άσετε** **-άσουν(ε)**
-άω/-ώ→	**-έσω**	φοράω → θα φορ**έσω** πονάω → θα πον**έσω** χωράω → θα χωρ**έσω** καλώ → θα καλ**έσω** εκτελώ → θα εκτελ**έσω** εξαιρώ → θα εξαιρ**έσω** επαινώ → θα επαιν**έσω**	θα φορ**έσω** θα φορ**έσεις** θα φορ**έσει** θα φορ**έσουμε** θα φορ**έσετε** θα φορ**έσουν(ε)**	**-έσω** **-έσεις** **-έσει** **-έσουμε** **-έσετε** **-έσουν(ε)**

-άω/-ώ→	-ήξω	πηδάω → θα πηδήξω τραβάω → θα τραβήξω φυσάω → θα φυσήξω βουτάω → θα βουτήξω	θα τραβήξω θα τραβήξεις θα τραβήξει θα τραβήξουμε θα τραβήξετε θα τραβήξουν(ε)	-ήξω -ήξεις -ήξει -ήξουμε -ήξετε -ήξουν(ε)
-άω/-ώ→	-άξω	κοιτάω → θα κοιτάξω πετάω → θα πετάξω φυλάω → θα φυλάξω	θα κοιτάξω θα κοιτάξεις θα κοιτάξει θα κοιτάξουμε θα κοιτάξετε θα κοιτάξουν(ε)	-άξω -άξεις -άξει -άξουμε -άξετε -άξουν(ε)

⚠ φιλάω → θα φιλήσω **αλλά** φυλάω → θα φυλάξω

⚠ Και το ρήμα Α «**κοιτάζω**» έχει Απλό Μέλλοντα «**θα κοιτάξω**» αλλά με άλλο τρόπο σχηματισμού.
(Ρήμα Α) κοιτάζω → θα κοιτάξω και (Ρήμα Β1) κοιτάω → θα κοιτάξω (Δες και τον παραπάνω πίνακα)

Προσοχή στα παρακάτω ρήματα Β.

ζω → θα ζήσω
μεθάω → θα μεθύσω
σπάω → θα σπάσω
δρω → θα δράσω

Ο Απλός Μέλλοντας έχει μπροστά από το ρήμα το «θα».

6.2.1.5 Αόριστος Ενεργητικής Φωνής

Χρησιμοποιώ τον Αόριστο για μια πράξη που έγινε στο παρελθόν μία φορά και δεν με ενδιαφέρει η διάρκειά της.

Συνηθισμένες λέξεις ή φράσεις με Αόριστο:
χτες, προχτές,
πέρυσι/πέρσι, πρόπερσι
πριν από έναν μήνα, πριν από έναν χρόνο, πριν από μία εβδομάδα,
πριν από ένα έτος,
τον προηγούμενο μήνα, την προηγούμενη εβδομάδα, το προηγούμενο έτος,
τον περασμένο μήνα, την περασμένη εβδομάδα, το περασμένο βράδυ
κ.ά.

⊙⊙ Για να φτιάξω τον Αόριστο στα ρήματα Α:
διαβάζω → διάβα**σα**, **-ες, -ε, -αμε, -ατε, -αν(ε)**

*Ο τόνος στον Αόριστο (όπως και στον Παρατατικό) είναι στην 3η συλλαβή από το τέλος (μαγ**εί**ρεψα, ψ**ώ**νισα, δι**ά**βασα) εκτός από μερικά ανώμαλα ρήματα. Αν δεν έχω 3 συλλαβές, τότε βάζω ένα **έ-** στην αρχή της λέξης και φτιάχνω μια συλλαβή (**έ**γραψα, **έ**τρεξα, **έ**κανα). Όμως το **έ-** δεν μένει ποτέ στο **εμείς** και στο **εσείς**, γιατί εκεί έχω πάντα τρεις συλλαβές (γράψαμε, γράψατε και όχι ~~εγράψαμε~~, ~~εγράψατε~~).*

Σχηματισμός Αορίστου – Ρήματα Α

-νω→ -θω→ -ζω*→	-σα	τελειώνω → τελείω**σα** πείθω → έπει**σα** διαβάζω → διάβα**σα**	διάβα**σα** διάβα**σες** διάβα**σε** διαβά**σαμε** διαβά**σατε** διάβα**σαν**/διαβά**σανε**	**-σα** **-σες** **-σε** **-σαμε** **-σατε** **-σαν(ε)**
-ζω*→ -κω→ -γω→ -χω→ -χνω→ -σκω→	-ξα	αλλάζω → άλλα**ξα** μπλέκω → έμπλε**ξα** ανοίγω → άνοι**ξα** προσέχω → πρόσε**ξα** φτιάχνω → έφτια**ξα** διδάσκω → δίδα**ξα**	άλλα**ξα** άλλα**ξες** άλλα**ξε** αλλά**ξαμε** αλλά**ξατε** άλλα**ξαν**/αλλά**ξανε**	**-ξα** **-ξες** **-ξε** **-ξαμε** **-ξατε** **-ξαν(ε)**
-πω→ -βω→ -φω→ -πτω→	-ψα	λείπω → έλει**ψα** ανάβω → άνα**ψα** γράφω → έγρα**ψα** καλύπτω → κάλυ**ψα**	έγρα**ψα** έγρα**ψες** έγρα**ψε** γρά**ψαμε** γρά**ψατε** έγρα**ψαν**/γρά**ψανε**	**-ψα** **-ψες** **-ψε** **-ψαμε** **-ψατε** **-ψαν(ε)**
-εύω→	-εψα	δουλεύω → δούλ**εψα**	δούλ**εψα** δούλ**εψες** δούλ**εψε** δουλ**έψαμε** δουλ**έψατε** δούλ**εψαν**/δουλ**έψανε**	**-εψα** **-εψες** **-εψε** **-έψαμε** **-έψατε** **-εψαν(ε)**
-αύω→	-αψα	παύω → έπ**αψα**	έπ**αψα** έπ**αψες** έπ**αψε** π**άψαμε** π**άψατε** έπ**αψαν**/π**άψανε**	**-αψα** **-αψες** **-αψε** **-άψαμε** **-άψατε** **-αψαν(ε)**

Ρήματα σε -ζω με Αόριστο σε -σα ή -ξα

Γενικά τα περισσότερα ρήματα σε **-ζω** (και κυρίως τα ρήματα σε **-ίζω**) φτιάχνουν Αόριστο σε **-σα**.
π.χ. διαβά**ζω** → διάβα**σα**, αγορά**ζω** → αγόρα**σα**, ετοιμά**ζω** → ετοίμα**σα**, αρχί**ζω** → άρχι**σα** κ.ά.

Αλλά

Κάποια ρήματα σε **-ζω** φτιάχνουν Αόριστο σε **-ξα**, όπως το αλλά**ζω** → άλλα**ξα**. Τα πιο συχνά από αυτά φαίνονται στον παρακάτω πίνακα:

αλλάζω → άλλαξα
κοιτάζω → κοίταξα
πειράζω → πείραξα
παίζω → έπαιξα
φωνάζω → φώναξα
βουλιάζω → βούλιαξα
στηρίζω → στήριξα ***(σε -ίζω αλλά → -ξα)***
αγγίζω → άγγιξα ***(σε -ίζω αλλά → -ξα)***
σφυρίζω → σφύριξα ***(σε -ίζω αλλά → -ξα)***

Τον ***κοίταξε*** *περίεργα.*

Με ***στήριξε*** *στη δύσκολη στιγμή.*

Ρήματα σε -εύω με Αόριστο σε -εψα ή -ευσα

Γενικά τα περισσότερα ρήματα σε **-εύω** φτιάχνουν Αόριστο σε **-εψα**.
π.χ. μαγειρ**εύω** → μαγείρ**εψα**, μαγ**εύω** → μάγ**εψα**, παντρ**εύω** → πάντρ**εψα** κ.ά.

Κάποια ρήματα σε **-εύω** έχουν Αόριστο σε **-ευσα**. Τα πιο συχνά φαίνονται στον παρακάτω πίνακα:

εκπαιδεύω → εκπαίδευσα
δημοσιεύω → δημοσίευσα
γοητεύω → γοήτευσα
απογοητεύω → απογοήτευσα
προοδεύω → προόδευσα
απαγορεύω → απαγόρευσα

Χτες το βράδυ ο άντρας μου ***μαγείρεψε*** *μια τέλεια μακαρονάδα.*

Δουλέψαμε *πολύ, αλλά φτιάξαμε ένα φανταστικό σπίτι.*

Μας ***απογοητεύσατε*** *με αυτό που κάνατε.*

Μερικά ρήματα σε **-νω** και τα ρήματα σε **-ρω** σχηματίζουν τον Αόριστο με τον τρόπο που φαίνεται στον παρακάτω πίνακα.

-νω→-να	κρίνω κλίνω κ.ά.	έκρινα έκλινα
-νω→-να	μολύνω ενθαρρύνω απομακρύνω κ.ά.	μόλυνα ενθάρρυνα απομάκρυνα
-αίνω→-ανα	γλυκαίνω πικραίνω ζεσταίνω τρελαίνω πεθαίνω ανασαίνω ανασταίνω κ.ά.	γλύκανα πίκρανα ζέστανα τρέλανα πέθανα ανάσανα ανάστησα
-άνω/-αίνω→-ησα	αυξάνω αρρωσταίνω κ.ά.	αύξησα αρρώστησα
-άρω→-αρα	γουστάρω παρκάρω τρακάρω φρενάρω σοκάρω φρεσκάρω τσεκάρω κ.ά	γούσταρα πάρκαρα τράκαρα φρέναρα σόκαρα φρέσκαρα τσέκαρα
-ίρω→-ιρα	σερβίρω κ.ά.	σέρβιρα

Ο Νίκος ***αρρώστησε*** *και γι' αυτό δεν είναι εδώ.*

Ο παππούς μου ***πέθανε*** *πριν από έναν χρόνο.*

Τσέκαρα *τα μέιλ μου πριν από πέντε λεπτά.*

Ρήματα με Ανώμαλο Αόριστο

Γενικός πίνακας

βγαίνω	βγ**ήκα**
μπαίνω	μπ**ήκα**
βρίσκω	βρ**ήκα**
ανεβαίνω	ανέβ**ηκα**
κατεβαίνω	κατέβ**ηκα**
παίρνω	π**ή**ρα
πηγαίνω/πάω	π**ή**γα
πλένω	έπλ**υ**να
φεύγω	έφ**υ**γα
λέω	**εί**πα
βλέπω	**εί**δα
έχω	**εί**χα
στέλνω	έστ**ει**λα
μένω	έμ**ει**να
παραγγέλνω	παράγγ**ει**λα
πίνω	**ή**πια
ξέρω	**ή**ξερα
θέλω	**ή**θελα/θέλησα

παθαίνω	έπα**θ**α
μαθαίνω	έμα**θ**α
βάζω	έβα**λ**α
βγάζω	έβγα**λ**α
πέφτω	έπεσα
τρώω	έφαγα
ακούω	άκουσα
φταίω	έφταιξα
καίω	έκα**ψ**α
κλαίω	έκλα**ψ**α
δίνω	έδωσα
καταλαβαίνω	κατάλαβα
φέρνω	έφερα
γίνομαι	έγινα
έρχομαι	ήρθα
κάθομαι	κάθισα/έκατσα

Τα ρήματα «**γίνομαι**», «**έρχομαι**», «**κάθομαι**» είναι ρήματα Παθητικής Φωνής (Γ1), αλλά έχουν Ενεργητικό Αόριστο.

Χτες το βράδυ ***πήγαμε*** *βόλτα στην Πλάκα.*

Έκλαψε *πολύ, όταν χώρισαν.*

Έδωσαν *εξετάσεις για το πανεπιστήμιο τον προηγούμενο Μάιο.*

Σχηματισμός Αορίστου – Ρήματα Β1 & Β2

Δεν υπάρχει κανόνας για το πότε ένα ρήμα Β (Β1 ή Β2) αλλάζει στον Αόριστο σε **-ησα, -ασα, -εσα, -ηξα, -αξα**. Γενικά τα περισσότερα ρήματα Β έχουν Αόριστο σε **-ησα**.

-άω/-ώ→	**-ησα**	αγαπάω → αγάπ**ησα** γεννάω → γένν**ησα** ρωτάω → ρώτ**ησα** απαντάω → απάντ**ησα** ξυπνάω → ξύπν**ησα** συναντάω → συνάντ**ησα** περπατάω → περπάτ**ησα** σταματάω → σταμάτ**ησα** φιλάω → φίλ**ησα** αργώ → άργ**ησα** τηλεφωνώ → τηλεφών**ησα** χρησιμοποιώ → χρησιμοποί**ησα**	αγάπ**ησα** αγάπ**ησες** αγάπ**ησε** αγαπ**ήσαμε** αγαπ**ήσατε** αγάπ**ησαν**/αγαπ**ήσανε**	**-ησα** **-ησες** **-ησε** **-ήσαμε** **-ήσατε** **-ησαν/-ήσανε**
-άω/-ώ→	**-ασα**	διψάω → δίψ**ασα** πεινάω → πείν**ασα** γελάω → γέλ**ασα** περνάω → (πέρ~~ν~~ασα) - πέρ**ασα** ξεχνάω → (ξέχ~~ν~~ασα) - ξέχ**ασα** κερνάω → (κέρ~~ν~~ασα) - κέρ**ασα**	γέλ**ασα** γέλ**ασες** γέλ**ασε** γελ**άσαμε** γελ**άσατε** γέλ**ασαν**/γελ**άσανε**	**-ασα** **-ασες** **-ασε** **-άσαμε** **-άσατε** **-ασαν/-άσανε**
-άω/-ώ→	**-εσα**	φοράω → φόρ**εσα** πονάω → πόν**εσα** καλώ → κάλ**εσα** χωράω→ χώρ**εσα** εκτελώ → εκτέλ**εσα** εξαιρώ → εξαίρ**εσα** επαινώ → επαίν**εσα**	φόρ**εσα** φόρ**εσες** φόρ**εσε** φορ**έσαμε** φορ**έσατε** φόρ**εσαν**/φορ**έσανε**	**-εσα** **-εσες** **-εσε** **-έσαμε** **-έσατε** **-εσαν/-έσανε**
-άω/-ώ→	**-ηξα**	πηδάω → πήδ**ηξα** τραβάω → τράβ**ηξα** φυσάω → φύσ**ηξα** βουτάω → βούτ**ηξα**	τράβ**ηξα** τράβ**ηξες** τράβ**ηξε** τραβ**ήξαμε** τραβ**ήξατε** τράβ**ηξαν**/τραβ**ήξανε**	**-ηξα** **-ηξες** **-ηξε** **-ήξαμε** **-ήξατε** **-ηξαν/-ήξανε**
-άω/-ώ→	**-αξα**	κοιτάω → κοίτ**αξα** πετάω → πέτ**αξα** φυλάω → φύλ**αξα**	κοίτ**αξα** κοίτ**αξες** κοίτ**αξε** κοιτ**άξαμε** κοιτ**άξατε** κοίτ**αξαν**/κοιτ**άξανε**	**-αξα** **-αξες** **-αξε** **-άξαμε** **-άξατε** **-αξαν/-άξανε**

⚠ φιλάω → φίλ**ησα** **αλλά** φυλάω → φύλ**αξα**

 Και το ρήμα Α «**κοιτάζω**» έχει Αόριστο «**κοίταξα**» αλλά με άλλο τρόπο σχηματισμού.

(Ρήμα Α) κοιτάζω → κοίταξα
(Ρήμα Β1) κοιτάω → κοίταξα (Δες και τον παραπάνω πίνακα)

Τον ***αγάπησα*** *πάρα πολύ.*

Χίλια συγνώμη που ***αργήσαμε****!*

Κοίταξαν *παντού, αλλά δεν* ***βρήκαν*** *τα κλειδιά τους.*

Προσοχή στα παρακάτω ρήματα Β.

ζω → **έζησα**
μεθάω → μέθ**υσα**
σπάω → **έ**σπ**ασα**
δρω → **έ**δρ**ασα**

Τα ρήματα Β (Β1, Β2) δεν έχουν το **έ-** στην αρχή του ρήματος, γιατί έχουν πάντα 3 συλλαβές και άρα δεν το χρειάζονται.

Αλλά

Τα **ζω → έζησα**, **σπάω → έσπασα, δρω → έδρασα** θέλουν έ- στην αρχή του Αορίστου για να έχουν τρεις συλλαβές.

Αόριστος ή Παρατατικός;

Οι καταλήξεις του Αορίστου και του Παρατατικού είναι οι ίδιες:

-α, -ες, -ε, -αμε, -ατε, -αν

Από την κατάληξη καταλαβαίνω (εκτός από το πρόσωπο και τον αριθμό) το πότε γίνεται κάτι. Και οι δύο χρόνοι αναφέρονται στο παρελθόν, γι' αυτό έχουν ίδιες καταλήξεις.

Ο Αόριστος και ο Παρατατικός δηλώνουν ***διαφορετική διάρκεια****. Έτσι, ο Αόριστος είναι για μια πράξη που έγινε* ***μία φορά*** *και δεν με ενδιαφέρει η διάρκειά της (διάβασα), ενώ ο Παρατατικός για μια πράξη που γινόταν* ***συνέχεια*** *ή* ***σε επανάληψη*** *(διάβαζα) και με ενδιαφέρει η διάρκειά της.*

Τα παιδιά όλο το βράδυ ***διάβαζαν*** *για το τεστ.*
(χτες διάβαζαν συνέχεια)

Τα παιδιά χτες το βράδυ ***διάβασαν*** *για το τεστ.*
(χτες διάβασαν αλλά δεν με ενδιαφέρει η διάρκεια)

⚠ Υπάρχουν κάποια ρήματα που είναι **ίδια** στον Παρατατικό και στον Αόριστο.

Ενεστώτας	**Παρατατικός/Αόριστος**
είμαι	ήμουν (👁→86)
έχω	είχα
κάνω	έκανα
ξέρω	ήξερα
περιμένω	περίμενα
αρέσω (μου αρέσει)	άρεσα (μου άρεσε)
πρέπει	έπρεπε

6.2.1.6 Παρακείμενος Ενεργητικής Φωνής

Χρησιμοποιώ τον Παρακείμενο για μια πράξη που ξεκίνησε στο παρελθόν και :

- *συνεχίζεται στο παρόν*

ή

- *και το αποτέλεσμά της φαίνεται στο παρόν*

Συνηθισμένες λέξεις ή φράσεις με Παρακειμένο:
ποτέ,
ήδη, κιόλας, ακόμα δεν,
έως/ώς/μέχρι τώρα,
από χθες, από πέρυσι, από πέρσι, από τότε που,
από τον προηγούμενο μήνα, από την προηγούμενη εβδομάδα, από το προηγούμενο πρωί/μεσημέρι/απόγευμα/βράδυ,
εδώ και έναν μήνα, εδώ και μια ώρα, εδώ και έναν χρόνο
κ.ά.

👁👁 **Για να φτιάξω τον Παρακείμενο:**

- παίρνω το γ΄ ενικό του Απλού Μέλλοντα (αυτός-ή-ό) χωρίς το **«θα»**.
- βάζω μπροστά το ρήμα «έχω» στον Ενεστώτα.

Σχηματισμός Παρακειμένου

διαβάζω →	(αυτός-ή-ό) ~~θα~~ διαβάσει →	έχ**ω** διαβάσ**ει**	έχ**ω** διαβάσει έχ**εις** διαβάσει έχ**ει** διαβάσει έχ**ουμε** διαβάσει έχ**ετε** διαβάσει έχ**ουν(ε)** διαβάσει

Έχετε πάει *ποτέ στην Κρήτη;*

Δεν **έχω αγαπήσει** *ώς τώρα καμιά κοπέλα όσο εσένα!*

-Θα φάτε κάτι; -Όχι, **έχουμε** *ήδη* **φάει**.

*Μόνο το ρήμα «**έχω**» αλλάζει πρόσωπο και κατάληξη:*
έχω, έχεις, έχει, έχουμε, έχετε, έχουν.
*Ο τύπος που παίρνω από το γ΄ενικό (αυτός-ή-ό) του Απλού Μέλλοντα μένει ίδιος και τελειώνει πάντα σε **-ει**.*

Παρακείμενος ή Αόριστος;
Και οι δύο χρόνοι μοιάζουν πολύ, γιατί αναφέρονται στο παρελθόν. Αλλά κάποιες φορές πρέπει να χρησιμοποιήσω μόνο Παρακείμενο και άλλες μόνο Αόριστο.

	Χρησιμοποιώ Παρακείμενο:	**Χρησιμοποιώ Αόριστο:**
1.	Όταν το αποτέλεσμα υπάρχει ακόμα και φαίνεται στο παρόν. ***Έχω φάει*** *πάρα πολύ και τώρα δεν κλείνει το παντελόνι μου.*	Όταν μια πράξη έγινε στο παρελθόν, αλλά το αποτέλεσμα δεν υπάρχει στο παρόν. ***Χτες έφαγα*** *πολύ μπακλαβά. Σήμερα είναι μια άλλη μέρα. Δεν αισθάνομαι άσχημα.* **Λάθος**: Χτες ~~έχω φάει~~ πολύ μπακλαβά.
2.	Όταν δεν με ενδιαφέρει πότε έχει γίνει μια πράξη, αλλά με ενδιαφέρει το αποτέλεσμά της στον παρόν. ***Έχεις πάει*** *ποτέ στην Κρήτη;* (Θέλω να ξέρω αν έχεις αυτή την εμπειρία μέχρι τώρα.)	Όταν μιλάω για μια συγκεκριμένη χρονική στιγμή στο παρελθόν. *Το 2010* ***πήγα*** *στην Κρήτη.* **Λάθος**: Το 2010 ~~έχω πάει~~ στην Κρήτη.

3.		Όταν μιλάω για κάποιον ή κάτι που δεν υπάρχει πια στο παρόν. *Ο Μέγας Αλέξανδρος* **παντρεύτηκε** *τη Ρωξάνη.* **Λάθος**: Ο Μέγας Αλέξανδρος έχει παντρευτεί τη Ρωξάνη. (Ο Μέγας Αλέξανδρος και η Ρωξάνη δεν υπάρχουν πια.)

Γενικά ο Αόριστος μπορεί να μπει στη θέση του Παρακειμένου (*Έχω φάει πολύ.– Έφαγα πολύ.*). Όμως στην περίπτωση (2) «Έχεις πάει ποτέ στην Κρήτη;» **δεν** μπορώ να βάλω **Αόριστο**.

6.2.1.7 Υπερσυντέλικος Ενεργητικής Φωνής

Χρησιμοποιώ τον Υπερσυντέλικο:
• για μια πράξη που έγινε πριν από μία άλλη πράξη στο παρελθόν

ή

• για μια πράξη που έγινε στο παρελθόν πολύ παλιά.

Συνηθισμένες λέξεις ή φράσεις με Υπερσυντέλικο:
ήδη, κιόλας, δεν... ακόμα,
έως/ώς τότε, μέχρι εκείνη τη στιγμή,
πριν από εκείνη τη στιγμή,
πριν (από) πολλά χρόνια, πριν (από) πολύ καιρό,
κ.ά.

Για να φτιάξω τον Υπερσυντέλικο:

- παίρνω το γ΄ ενικό του Απλού Μέλλοντα (αυτός-ή-ό) χωρίς το «θα».
- βάζω μπροστά από αυτό το ρήμα «έχω» στον Αόριστο/Παρατατικό (**είχα**).

Σχηματισμός Υπερσυντέλικου

διαβάζω →	(αυτός-ή-ό) ~~θα~~ διαβάσει →	είχα διαβάσει	είχα διαβάσει είχες διαβάσει είχε διαβάσει είχαμε διαβάσει είχατε διαβάσει είχαν(ε) διαβάσει

Είχε φάει *όλη την τούρτα, όταν ήρθε η μαμά του!*

Πριν από πάρα πολλά χρόνια **είχα διαβάσει** *όλη την ελληνική μυθολογία.*

Τα παιδιά **είχαν** *κιόλας* **ξυπνήσει**, *όταν μπήκε η μητέρα τους στο δωμάτιο.*

*Μόνο το ρήμα «**έχω**» αλλάζει πρόσωπο και κατάληξη:*
είχα, είχες, είχε, είχαμε, είχατε, είχαν.
*Ο τύπος που παίρνω από το γ' ενικό (αυτός-ή-ό) του Απλού Μέλλοντα μένει ίδιος και τελειώνει πάντα σε **-ει**.*

6.2.1.8 Συντελεσμένος Μέλλοντας Ενεργητικής Φωνής

Χρησιμοποιώ τον Συντελεσμένο Μέλλοντα για μια πράξη που θα γίνει στο μέλλον:
• πριν από μια άλλη πράξη
ή
• πριν από μια συγκεκριμένη στιγμή

Συνηθισμένες λέξεις ή φράσεις με Συντελεσμένο Μέλλοντα:
μέχρι/έως/ώς αύριο, μέχρι/έως/ώς τη Δευτέρα/τον Ιανουάριο/το 2030
ώσπου,
...πριν
κ.ά.

Για να φτιάξω τον Συντελεσμένο Μέλλοντα:

- παίρνω τους τύπους του Παρακειμένου.
- βάζω μπροστά το «θα».

Μόνο το ρήμα «έχω» αλλάζει πρόσωπο και κατάληξη:
θα έχω, θα έχεις, θα έχει, θα έχουμε, θα έχετε, θα έχουν.

Σχηματισμός Συντελεσμένου Μέλλοντα

διαβάζω →	έχω διαβάσει →	**θα** έχω διαβάσει	θα έχω διαβάσει θα έχεις διαβάσει θα έχει διαβάσει θα έχουμε διαβάσει θα έχετε διαβάσει θα έχουν(ε) διαβάσει

Θα έχουν τελειώσει *το βάψιμο πριν την Κυριακή.*

Μαμά, ώς αύριο **θα έχουμε καθαρίσει** *όλο το σπίτι.*

Μέχρι να ξυπνήσεις, **θα έχω φύγει**.

6.2.2 Παθητική Φωνή

Πολλά ρήματα στην Παθητική Φωνή (π.χ. πίνεται, διαβάζονται κ.ά.) χρησιμοποιούνται συνήθως στο γ΄ πρόσωπο ενικού (αυτός-ή-ό) και πληθυντικού (αυτοί-ές-ά). Αλλά τα ρήματα με μέση και ουδέτερη διάθεση (👁→84-85) τα χρησιμοποιώ σε όλα τα πρόσωπα (π.χ. σκέφτομαι, σηκώνομαι, λούζομαι, κοιμάμαι κ.ά.).

Αυτός ο καφές δεν ***πίνεται***.

Κάθε πρωί ***λούζομαι*** *πριν πάω στη δουλειά.*

Κοιμόμαστε *μέχρι αργά κάθε Κυριακή*

6.2.2.1 Ενεστώτας Παθητικής φωνής

Η χρήση είναι ίδια με αυτή του Ενεστώτα Ενεργητικής Φωνής. (⊙→87)

Σχηματισμός Ενεστώτα – Ρήματα Γ1, Γ2, Γ3 & Γ4

Ρήματα Γ1 (-ομαι)	διαβάζομαι διαβάζεσαι διαβάζεται διαβαζόμαστε διαβαζόσαστε/διαβάζεστε διαβάζονται	-ομαι -εσαι -εται -όμαστε -όσαστε/-εστε -ονται
Ρήματα Γ2 (-άμαι) κοιμάμαι λυπάμαι φοβάμαι θυμάμαι	κοιμάμαι κοιμάσαι κοιμάται κοιμόμαστε κοιμόσαστε/κοιμάστε κοιμούνται	-άμαι -άσαι -άται -όμαστε -όσαστε/-άστε -ούνται
Ρήματα Γ3 (-ιέμαι)	αγαπιέμαι αγαπιέσαι αγαπιέται αγαπιόμαστε αγαπιόσαστε/αγαπιέστε αγαπιούνται	-ιέμαι -ιέσαι -ιέται -ιόμαστε -ιόσαστε/-ιέστε -ιούνται
Ρήματα Γ4 (-ούμαι)	οδηγούμαι οδηγείσαι οδηγείται οδηγούμαστε οδηγείστε οδηγούνται	-ούμαι -είσαι -είται -ούμαστε -είστε -ούνται

Αυτοί **αγαπιούνται** *πολύ.*

Ο Νίκος **κοιμάται** *κάθε μέρα μόνο πέντε ώρες.*

Εύχομαι *να πάνε όλα καλά.*

6.2.2.2 Συνεχής Μέλλοντας Παθητικής Φωνής

Η χρήση είναι ίδια με αυτή του Συνεχούς Μέλλοντα Ενεργητικής Φωνής. *(⊙→88)*

⊙⊙ Για να φτιάξω τον Συνεχή Μέλλοντα:

- παίρνω τον τύπο του Ενεστώτα.
- βάζω πριν από το ρήμα το «**θα**».
  *κουράζομαι → **θα** κουράζομαι*

Σχηματισμός Συνεχούς Μέλλοντα – Ρήματα Γ1, Γ2, Γ3 & Γ4

Ρήματα Γ1(-ομαι)	θα κουράζ**ομαι** θα κουράζ**εσαι** θα κουράζ**εται** θα κουραζ**όμαστε** θα κουραζ**όσαστε**/κουράζ**εστε** θα κουράζ**ονται**	θα +	**-ομαι** **-εσαι** **-εται** **-όμαστε** **-όσαστε/-εστε** **-ονται**
Ρήματα Γ2 (-άμαι) κοιμάμαι λυπάμαι φοβάμαι θυμάμαι	θα κοιμ**άμαι** θα κοιμ**άσαι** θα κοιμ**άται** θα κοιμ**όμαστε** θα κοιμ**όσαστε**/κοιμ**άστε** θα κοιμ**ούνται**	θα +	**-άμαι** **-άσαι** **-άται** **-όμαστε** **-όσαστε/-άστε** **-ούνται**
Ρήματα Γ3 (-ιέμαι)	θα αγαπ**ιέμαι** θα αγαπ**ιέσαι** θα αγαπ**ιέται** θα αγαπ**ιόμαστε** θα αγαπ**ιόσαστε**/θα αγαπ**ιέστε** θα αγαπ**ιούνται**	θα +	**-ιέμαι** **-ιέσαι** **-ιέται** **-ιόμαστε** **-ιόσαστε/-ιέστε** **-ιούνται**
Ρήματα Γ4 (-ούμαι)	θα οδηγ**ούμαι** θα οδηγ**είσαι** θα οδηγ**είται** θα οδηγ**ούμαστε** θα οδηγ**είστε** θα οδηγ**ούνται**	θα +	**-ούμαι** **-είσαι** **-είται** **-ούμαστε** **-είστε** **-ούνται**

*Από του χρόνου **θα έρχομαι** κάθε καλοκαίρι στην Ελλάδα.*

*Η Φρόσω και ο Κλεάνθης **θα αγαπιούνται** για πάντα.*

*Τα επόμενα χρόνια το ίντερνετ **θα χρησιμοποιείται** ακόμα και από τις γιαγιάδες.*

6.2.2.3 Παρατατικός Παθητικής Φωνής

Η χρήση είναι ίδια με αυτή του Παρατατικού Ενεργητικής Φωνής. *(👁→89)*

👁👁 **Για να φτιάξω τον Παρατατικό**:

- παίρνω τη ρίζα του Ενεστώτα.
- βάζω τις καταλήξεις του Παρατατικού, όπως βλέπω παρακάτω.

Γ1: διαβάζ-~~ομαι~~ + **-όμουν, -όσουν, -όταν, -όμασταν, -όσασταν, -ονταν/-όντουσαν**
Γ2: κοιμ-~~άμαι~~ + **-όμουν, -όσουν, -όταν, -όμασταν, -όσασταν, -ούνταν/-όντουσαν/-όνταν**
Γ3: αγαπ-~~ιέμαι~~ + **-ιόμουν, -ιόσουν, -ιόταν, -ιόμασταν, -ιόσασταν, -ιούνταν/-ιόντουσαν**
Γ4: οδηγ-~~ούμαι~~ + **-ούμουν, -ούσουν, -ούνταν, -ούμασταν, -ούσασταν, -ούνταν**

Σχηματισμός Παρατατικού – Ρήματα Γ1, Γ2, Γ3 & Γ4

Ρήματα Γ1 (-όμαι)	διαβαζ**όμουν(α)** διαβαζ**όσουν(α)** διαβαζ**όταν(ε)** διαβαζ**όμασταν** διαβαζ**όσασταν** διαβάζ**ονταν**/διαβαζ**όντουσαν**	**-όμουν(α)** **-όσουν(α)** **-όταν(ε)** **-όμασταν** **-όσασταν** **-ονταν/-όντουσαν**
Ρήματα Γ2 (-άμαι) κοιμάμαι λυπάμαι φοβάμαι θυμάμαι	κοιμ**όμουν** κοιμ**όσουν** κοιμ**όταν** κοιμ**όμασταν** κοιμ**όσασταν** κοιμ**ούνταν**/κοιμ**όντουσαν**/κοιμ**όνταν**	**-όμουν** **-όσουν** **-όταν** **-όμασταν** **-όσασταν** **-ούνταν/-όντουσαν/-όνταν**
Ρήματα Γ3 (-ιέμαι)	αγαπ**ιόμουν(α)** αγαπ**ιόσουν(α)** αγαπ**ιόταν(ε)** αγαπ**ιόμασταν** αγαπ**ιόσασταν** αγαπ**ιούνταν**/αγαπ**ιόντουσαν**	**-ιόμουν(α)** **-ιόσουν(α)** **-ιόταν(ε)** **-ιόμασταν** **-ιόσασταν** **-ιούνταν/-ιόντουσαν**
Ρήματα Γ4 (-ούμαι)	οδηγ**ούμουν** οδηγ**ούσουν** οδηγ**ούνταν** οδηγ**ούμασταν** οδηγ**ούσασταν** οδηγ**ούνταν**	**-ούμουν** **-ούσουν** **-ούνταν** **-ούμασταν** **-ούσασταν** **-ούνταν**

⚠ Στα ρήματα Γ4 η κατάληξη του γ΄ ενικού (αυτός-ή-ό) και του γ΄ πληθυντικού (αυτοί-ές-ά) των ρημάτων είναι ίδια (-**ούνταν**).

*«**Αυτή θεωρούνταν** καλή δασκάλα.» αλλά και «**Αυτές θεωρούνταν** καλές δασκάλες.»*

Όταν ήμουν μικρή, δεν **χρειαζόταν** *να δουλεύω.*

Κάθε καλοκαίρι, όταν ήμασταν παιδιά, **κοιμόμασταν** *μέχρι τις 11:00 το πρωί.*

6.2.2.4 Απλός Μέλλοντας Παθητικής Φωνής

Η χρήση είναι ίδια με αυτή του Απλού Μέλλοντα της Ενεργητικής Φωνής. (⊙→91)

⊙⊙ Για να φτιάξω τον Απλό Μέλλοντα στα ρήματα Γ1:

ντύ~~νομαι~~ → θα ντυ**θώ, -είς, -εί, -ούμε, -είτε, -ούν(ε)**

Σχηματισμός Απλού Μέλλοντα – Ρήματα Γ1

-νομαι →	**-θώ** **-στώ**	ντύνομαι → θα ντυθώ κλείνομαι → θα κλειστώ	θα ντυ**θώ** θα ντυ**θείς** θα ντυ**θεί** θα ντυ**θούμε** θα ντυ**θείτε** θα ντυ**θούν(ε)**	θα κλει**στώ** θα κλει**στείς** θα κλει**στεί** θα κλει**στούμε** θα κλει**στείτε** θα κλει**στούν(ε)**	θα +	**-θώ** **-θείς** **-θεί** **-θούμε** **-θείτε** **-θούν(ε)**	**-στώ** **-στείς** **-στεί** **-στούμε** **-στείτε** **-στούν(ε)**
-ζομαι*→	**-στώ**	κουράζομαι → θα κουραστώ					
-ζομαι*→ **-κομαι→** **-γομαι→** **-χομαι→** **-χνομαι→** **-σκομαι→**	**-χτώ**	κοιτάζομαι → θα κοιταχτώ μπλέκομαι → θα μπλεχτώ ανοίγομαι → θα ανοιχτώ δέχομαι → θα δεχτώ φτιάχνομαι → θα φτιαχτώ διδάσκομαι → θα διδαχτώ	θα κοιτα**χτώ** θα κοιτα**χτείς** θα κοιτα**χτεί** θα κοιτα**χτούμε** θα κοιτα**χτείτε** θα κοιτα**χτούν(ε)**		θα +	**-χτώ** **-χτείς** **-χτεί** **-χτούμε** **-χτείτε** **-χτούν(ε)**	
-πομαι→ **-βομαι→** **-φομαι→** **-πτομαι→**	**-φτώ**	εγκαταλείπομαι → θα εγκαταλειφτώ κρύβομαι → θα κρυφτώ γράφομαι → θα γραφτώ επισκέπτομαι → θα επισκεφτώ	θα γρα**φτώ** θα γρα**φτείς** θα γρα**φτεί** θα γρα**φτούμε** θα γρα**φτείτε** θα γρα**φτούν(ε)**		θα +	**-φτώ** **-φτείς** **-φτεί** **-φτούμε** **-φτείτε** **-φτούν(ε)**	
-εύομαι→	**-ευτώ**	παντρεύομαι → θα παντρευτώ	θα παντρ**ευτώ** θα παντρ**ευτείς** θα παντρ**ευτεί** θα παντρ**ευτούμε** θα παντρ**ευτείτε** θα παντρ**ευτούν(ε)**		θα +	**-ευτώ** **-ευτείς** **-ευτεί** **-ευτούμε** **-ευτείτε** **-ευτούν(ε)**	
-αύομαι→	**-αυτώ**	αναπαύομαι → θα αναπαυτώ	θα αναπ**αυτώ** θα αναπ**αυτείς** θα αναπ**αυτεί** θα αναπ**αυτούμε** θα αναπ**αυτείτε** θα αναπ**αυτούν(ε)**		θα +	**-αυτώ** **-αυτείς** **-αυτεί** **-αυτούμε** **-αυτείτε** **-αυτούν(ε)**	

Θα λουστούμε *στο κομμωτήριο.*

Χωρίς χάρτη και χωρίς κινητό σίγουρα **θα χαθούμε**!

Ο Νίκος **δεν θα διδαχτεί** *ούτε από τα ίδια του τα λάθη.*

Ρήματα σε -νομαι με Απλό Μέλλοντα σε -θώ ή σε -στώ

1. Γενικά τα περισσότερα ρήματα σε **-νομαι** έχουν Απλό Μέλλοντα σε **-θώ**.

-νομαι	**-θώ**
ντύνομαι	θα ντυθώ
χάνομαι	θα χαθώ
πληρώνομαι	θα πληρωθώ
σηκώνομαι	θα σηκωθώ
κλειδώνομαι	θα κλειδωθώ
σημειώνομαι	θα σημειωθώ
σκοτώνομαι	θα σκοτωθώ
ενημερώνομαι	θα ενημερωθώ
βελτιώνομαι	θα βελτιωθώ

2. Μερικά όμως από τα ρήματα σε **-νομαι** έχουν Απλό Μέλλοντα σε **-στώ**.

-νομαι	**-στώ**
κλείνομαι	θα κλειστώ
πιάνομαι	θα πιαστώ
σβήνομαι	θα σβηστώ

 Σε **-στώ** έχει Απλό Μέλλοντα και το ρήμα «πείθομαι» → θα πειστώ.

Ρήματα σε -ζομαι με Απλό Μέλλοντα σε -στώ ή σε -χτώ

1. Γενικά τα περισσότερα ρήματα σε **-ζομαι** έχουν Απλό Μέλλοντα σε **-στώ**.

-ζομαι	**-στώ**
σχηματίζομαι	θα σχηματιστώ
δανείζομαι	θα δανειστώ
αγοράζομαι	θα αγοραστώ
ετοιμάζομαι	θα ετοιμαστώ
κουράζομαι	θα κουραστώ
λούζομαι	θα λουστώ
εξετάζομαι	θα εξεταστώ
σχεδιάζομαι	θα σχεδιαστώ

2. Μερικά ρήματα σε **-ζομαι** όμως έχουν Απλό Μέλλοντα σε **-χτώ**. Συνήθως αυτά τα ρήματα έχουν Απλό Μέλλοντα Ενεργητικής Φωνής σε **-ξω** (κοιτάζω → θα κοιτά**ξω** → θα κοιτα**χτώ**).

-ζομαι	**-χτώ**
κοιτάζομαι	θα κοιταχτώ
αλλάζομαι	θα αλλαχτώ
παίζομαι	θα παιχτώ
στηρίζομαι	θα στηριχτώ

Σήμερα δεν έχω χρήματα. ***Θα πληρωθώ*** *αύριο.*

Πρόσεξε! ***Θα πιαστεί*** *η μπλούζα σου στην πόρτα.*

Σε δέκα λεπτά ***θα ετοιμαστούμε*** *και θα φύγουμε.*

Θα δανειστώ *από τη μαμά 300 ευρώ για τις διακοπές μου.*

Όταν το πρόγραμμα είναι έτοιμο, ***θα ενημερωθείτε***.

Ρήματα Γ1 με Ανώμαλο Απλό Μέλλοντα

Ενεστώτας Ενεργητικής & Παθητικής Φωνής	**Απλός Μέλλοντας Ενεργητικής Φωνής**	**Απλός Μέλλοντας Παθητικής Φωνής**
σκέφτομαι	-----------	θα σκεφτώ
χαίρομαι	-----------	θα χαρώ
αισθάνομαι	-----------	θα αισθανθώ
βρίσκω-βρίσκομαι	θα βρω	θα βρεθώ
ζεσταίνω-ζεσταίνομαι	θα ζεστάνω	θα ζεσταθώ
τρελαίνω-τρελαίνομαι	θα τρελάνω	θα τρελαθώ
ντρέπομαι	-----------	θα ντραπώ
κόβω-κόβομαι	θα κόψω	θα κοπώ
φαίνομαι	-----------	θα φανώ
πλένω-πλένομαι	θα πλύνω	θα πλυθώ
υπόσχομαι	-----------	θα υποσχεθώ
στέκομαι	-----------	θα σταθώ
βρέχω-βρέχομαι	θα βρέξω	θα βραχώ
εύχομαι	-----------	θα ευχηθώ
αντιστέκομαι	-----------	θα αντισταθώ
βλέπω-βλέπομαι	θα δω	θα ιδωθώ
δίνω-δίνομαι	θα δώσω	θα δοθώ
λέω-λέγομαι	θα πω	θα ειπωθώ/λεχθώ
τρώω-τρώγομαι	θα φάω	θα φαγωθώ
στέλνω-στέλνομαι	θα στείλω	θα σταλθώ/σταλώ
στρέφω-στρέφομαι	θα στρέψω	θα στραφώ
επιστρέφω-επιστρέφομαι	θα επιστρέψω	θα επιστραφώ
μαθαίνω-μαθαίνομαι	θα μάθω	θα μαθευτώ
επιτρέπω-επιτρέπομαι	θα επιτρέψω	θα επιτραπώ
κλαίω-κλαίγομαι	θα κλάψω	θα κλαφτώ
καίω-καίγομαι	θα κάψω	θα καώ

ακούω-ακούγομαι	θα ακούσω	θα ακουστώ
σέβομαι	---------	θα σεβαστώ
απομακρύνω-απομακρύνομαι	θα απομακρύνω	θα απομακρυνθώ
κρίνω-κρίνομαι	θα κρίνω	θα κριθώ
κλίνω-κλίνομαι	θα κλίνω	θα κλιθώ
παίρνω-παίρνομαι	θα πάρω	θα παρθώ
φέρομαι	---------	θα φερθώ
προσφέρω-προσφέρομαι	θα προσφέρω	θα προσφερθώ
ενδιαφέρω-ενδιαφέρομαι	θα ενδιαφέρω	θα ενδιαφερθώ

Με τόσο βαριά ρούχα **θα ζεσταθείς** *πολύ.*

Βάλε γρήγορα αντηλιακό, γιατί **θα καείς**.

Παιδιά, προσέξτε! **Θα κοπείτε** *με το μαχαίρι.*

Δεν θα φάω σοκολάτα. **Θα αντισταθώ**.

Η απόφαση για την απεργία **θα παρθεί** *αύριο.*

Σχηματισμός Απλού Μέλλοντα – Ρήματα Γ2

-άμαι κοιμάμαι λυπάμαι φοβάμαι θυμάμαι	**-ηθώ**	κοιμάμαι → θα κοιμ**ηθώ** λυπάμαι → θα λυπ**ηθώ** φοβάμαι → θα φοβ**ηθώ** θυμάμαι → θα θυμ**ηθώ**	θα κοιμ**ηθώ** θα κοιμ**ηθείς** θα κοιμ**ηθεί** θα κοιμ**ηθούμε** θα κοιμ**ηθείτε** θα κοιμ**ηθούν(ε)**	**-ηθώ** **-ηθείς** **-ηθεί** **-ηθούμε** **-ηθείτε** **-ηθούν(ε)**

Μετά από τόση κούραση **θα κοιμηθώ** *τουλάχιστον δέκα ώρες.*

Αν δεν έρθεις απόψε, **θα λυπηθούμε** *πολύ.*

Θα θυμηθείτε *να κλείσετε τα φώτα πριν βγείτε έξω;*

Ρήματα Γ3 & Γ4 - Απλός Μέλλοντας

Τα ρήματα Γ3 και Γ4 έχουν έξι πιθανές καταλήξεις στον Απλό Μέλλοντα Παθητικής Φωνής (**-ηθώ, -εθώ, -εστώ, -αστώ, -αχτώ, -ηχτώ**), όπως φαίνεται στους παρακάτω πίνακες. Αυτές τις καταλήξεις τις φτιάχνω με βάση τον Απλό Μέλλοντα Ενεργητικής Φωνής. Η πιο συχνή κατάληξη είναι σε **-ηθώ**.

Α. Σχηματισμός Απλού Μέλλοντα – Ρήματα Γ3 & Γ4 (-ηθώ)

Τα περισσότερα ρήματα Γ3 & Γ4 έχουν Απλό Μέλλοντα σε **-ηθώ**. Όσα από αυτά έχουν και ενεργητικό τύπο σχηματίζουν Απλό Μέλλοντα Ενεργητικής Φωνής σε **-ήσω**.

Ενεστώτας	**Απλός Μέλλοντας Ενεργητικής Φωνής**	**Απλός Μέλλοντας Παθητικής Φωνής**	
-άω→-ιέμαι **-ώ→-ούμαι**	**-ήσω→**	**-ηθώ**	
αγαπάω-αγαπιέμαι γεννάω-γεννιέμαι απαντάω-απαντιέμαι συναντάω-συναντιέμαι συζητάω-συζητιέμαι χρησιμοποιώ-χρησιμοποιούμαι ταλαιπωρώ-ταλαιπωρούμαι	θα αγαπήσω θα γεννήσω θα απαντήσω θα συναντήσω θα συζητήσω θα χρησιμοποιήσω θα ταλαιπωρήσω	θα αγαπηθώ θα γεννηθώ θα απαντηθώ θα συναντηθώ θα συζητηθώ θα χρησιμοποιηθώ θα ταλαιπωρηθώ	θα αγαπηθώ θα αγαπηθείς θα αγαπηθεί θα αγαπηθούμε θα αγαπηθείτε θα αγαπηθούν(ε)
Ρήματα μόνο με Παθητική Φωνή			
- χασμουριέμαι - αρνούμαι - ασχολούμαι - διηγούμαι - συνεννοούμαι	- - - - -	θα χασμουρηθώ θα αρνηθώ θα ασχοληθώ θα διηγηθώ θα συνεννοηθώ	

Β. Σχηματισμός Απλού Μέλλοντα – Ρήματα Γ3 & Γ4 (-εθώ/-εστώ)

Κάποια από τα ρήματα Γ3 και Γ4 έχουν Απλό Μέλλοντα σε **-εθώ** και **-εστώ**. Όσα από αυτά έχουν και ενεργητικό τύπο σχηματίζουν Απλό Μέλλοντα Ενεργητικής Φωνής σε **-έσω**.

Ενεστώτας	**Απλός Μέλλοντας Ενεργητικής Φωνής**	**Απλός Μέλλοντας Παθητικής Φωνής**		
-άω→-ιέμαι **-ώ→-ούμαι**	**-έσω→**	**-εθώ** **-εστώ**		
- βαριέμαι - παραπονιέμαι εξαιρώ-εξαιρούμαι επαινώ-επαινούμαι καλώ-καλούμαι	- - θα εξαιρέσω θα επαινέσω θα καλέσω	θα βαρεθώ θα παραπονεθώ θα εξαιρεθώ θα επαινεθώ θα καλεστώ	θα βαρεθώ θα βαρεθείς θα βαρεθεί θα βαρεθούμε θα βαρεθείτε θα βαρεθούν(ε)	θα καλεστώ θα καλεστείς θα καλεστεί θα καλεστούμε θα καλεστείτε θα καλεστούν(ε)

Γ. Σχηματισμός Απλού Μέλλοντα – Ρήματα Γ3 & Γ4 (-αστώ)

Κάποια ρήματα έχουν Απλό Μέλλοντα σε **-αστώ**. Όσα από αυτά έχουν και ενεργητικό τύπο σχηματίζουν Απλό Μέλλοντα Ενεργητικής Φωνής σε **-άσω**.

Ενεστώτας	**Απλός Μέλλοντας Ενεργητικής Φωνής**	**Απλός Μέλλοντας Παθητικής Φωνής**	
-άω→-ιέμαι **-ώ→-ούμαι**	**-άσω→**	**-αστώ**	θα γελ**αστώ** θα γελ**αστείς** θα γελ**αστεί** θα γελ**αστούμε** θα γελ**αστείτε** θα γελ**αστούν(ε)**
γελάω-γελιέμαι περνάω-περνιέμαι ξεχνάω-ξεχνιέμαι	θα γελ**άσω** (θα περ~~ν~~άσω) θα περ**άσω** (θα ξεχ~~ν~~άσω) θα ξεχ**άσω**	θα γελ**αστώ** θα περ**αστώ** θα ξεχ**αστώ**	

Δ. Σχηματισμός Απλού Μέλλοντα – Ρήματα Γ3 & Γ4 (-αχτώ)

Λίγα ρήματα έχουν παθητικό Απλό Μέλλοντα **-αχτώ**. Όσα από αυτά έχουν και ενεργητικό τύπο σχηματίζουν Απλό Μέλλοντα Ενεργητικής Φωνής σε **-άξω**.

Ενεστώτας	**Απλός Μέλλοντας Ενεργητικής Φωνής**	**Απλός Μέλλοντας Παθητικής Φωνής**	
-άω→ -ιέμαι **-ώ→ -ούμαι**	**-άξω→**	**-αχτώ**	θα κοιτ**αχτώ** θα κοιτ**αχτείς** θα κοιτ**αχτεί** θα κοιτ**αχτούμε** θα κοιτ**αχτείτε** θα κοιτ**αχτούν(ε)**
κοιτάω-κοιτιέμαι πετάω-πετιέμαι	θα κοιτ**άξω** θα πετ**άξω**	θα κοιτ**αχτώ** θα πετ**αχτώ**	

Ε. Σχηματισμός Απλού Μέλλοντα – Ρήματα Γ3 & Γ4 (-ηχτώ)

Τέλος, υπάρχουν και κάποια ρήματα που έχουν Απλό Μέλλοντα σε **-ηχτώ**. Όσα από αυτά έχουν και ενεργητικό τύπο, σχηματίζουν Απλό Μέλλοντα Ενεργητικής Φωνής σε **-ήξω**.

Ενεστώτας	**Απλός Μέλλοντας Ενεργητικής Φωνής**	**Απλός Μέλλοντας Παθητικής Φωνής**	
-άω→ -ιέμαι **-ώ→ -ούμαι**	**-ήξω→**	**-ηχτώ**	θα τραβ**ηχτώ** θα τραβ**ηχτείς** θα τραβ**ηχτεί** θα τραβ**ηχτούμε** θα τραβ**ηχτείτε** θα τραβ**ηχτούν(ε)**
τραβάω-τραβιέμαι	θα τραβ**ήξω**	θα τραβ**ηχτώ**	

Απόψε ***θα συναντηθούμε*** *στις 9:00 στο Μοναστηράκι.*

Πρέπει να ψάξεις για δουλειά, γιατί στο τέλος ***θα βαρεθείς*** *όλη μέρα μέσα στο σπίτι.*

Όλα τα άχρηστα πράγματα πάνω στο γραφείο σου ***θα πεταχτούν*** *σήμερα.*

6.2.2.5 Αόριστος Παθητικής Φωνής

Η χρήση είναι ίδια με αυτή του Αορίστου Ενεργητικής Φωνής. (⊙→98)

⊙⊙ Για να φτιάξω τον Αόριστο στα ρήματα Γ1:

ντύ~~νομαι~~ → ντύθηκα, -ες, -ε, -αμε, -ατε, -αν(ε)

Σχηματισμός Αορίστου – Ρήματα Γ1

-νομαι→	-θηκα -στηκα	ντύνομαι → ντύθηκα κλείνομαι → κλείστηκα	ντύθηκα ντύθηκες ντύθηκε ντυθήκαμε ντυθήκατε ντύθηκαν/ ντυθήκανε	κλείστηκα κλείστηκες κλείστηκε κλειστήκαμε κλειστήκατε κλείστηκαν/ κλειστήκανε	-θηκα -θηκες -θηκε -θήκαμε -θήκατε -θηκαν/ -θήκανε
-ζομαι*→	-στηκα	κουράζομαι → κουράστηκα			-στηκα -στηκες -στηκε -στήκαμε -στήκατε -στηκαν/ -στήκανε
-ζομαι*→ -κομαι→ -γομαι→ -χομαι→ -χνομαι→ -σκομαι→	-χτηκα	κοιτάζομαι → κοιτάχτηκα μπλέκομαι → μπλέχτηκα ανοίγομαι → ανοίχτηκα δέχομαι → δέχτηκα φτιάχνομαι → φτιάχτηκα διδάσκομαι → διδάχτηκα	κοιτάχτηκα κοιτάχτηκες κοιτάχτηκε κοιταχτήκαμε κοιταχτήκαμε κοιτάχτηκαν/ κοιταχτήκανε		-χτηκα -χτηκες -χτηκε -χτήκαμε -χτήκατε -χτηκαν/ -χτήκανε
-πομαι→ -βομαι→ -φομαι→ -πτομαι→	-φτηκα	εγκαταλείπομαι → εγκαταλείφτηκα κρύβομαι → κρύφτηκα γράφομαι → γράφτηκα επισκέπτομαι → επισκέφτηκα	γράφτηκα γράφτηκες γράφτηκε γραφτήκαμε γραφτήκατε γράφτηκαν/ γραφτήκανε		-φτηκα -φτηκες -φτηκε -φτήκαμε -φτήκατε -φτηκαν/ -φτήκανε
-εύομαι→	-εύτηκα	παντρεύομαι → παντρεύτηκα	παντρεύτηκα παντρεύτηκες παντρεύτηκε παντρευτήκαμε παντρευτήκατε παντρεύτηκαν/ παντρευτήκανε		-εύτηκα -εύτηκες -εύτηκε -ευτήκαμε -ευτήκατε -εύτηκαν/ -ευτήκανε

-αύομαι→	-αύτηκα	αναπαύομαι → αναπαύτηκα	αναπαύτηκα αναπαύτηκες αναπαύτηκε αναπαυτήκαμε αναπαυτήκατε αναπαύτηκαν/ αναπαυτήκανε		**-αύτηκα** **-αύτηκες** **-αύτηκε** **-αυτήκαμε** **-αυτήκατε** **-αύτηκαν/** **-αυτήκανε**

Πέρσι ***γράφτηκαν*** *πολλά άρθρα για την οικονομική κρίση.*

Ο Νίκος και η Ελένη ***παντρεύτηκαν*** *τον περασμένο μήνα.*

Χτες ***ονειρεύτηκα*** *ότι ήμουν πολύ πλούσια. Ήταν μόνο ένα όνειρο!*

Ρήματα σε -νομαι με Αόριστο σε -θηκα ή σε -στηκα

1. Γενικά τα περισσότερα ρήματα σε **-νομαι** έχουν Αόριστο σε **-θηκα**.

-νομαι	**-θηκα**
ντύνομαι	ντύθηκα
χάνομαι	χάθηκα
πληρώνομαι	πληρώθηκα
σηκώνομαι	σηκώθηκα
κλειδώνομαι	κλειδώθηκα
σημειώνομαι	σημειώθηκα
σκοτώνομαι	σκοτώθηκα
ενημερώνομαι	ενημερώθηκα
βελτιώνομαι	βελτιώθηκα

2. Αλλά μερικά ρήματα σε **-νομαι** έχουν Αόριστο σε **-στηκα**.

-νομαι	**-στηκα**
κλείνομαι	κλείστηκα
πιάνομαι	πιάστηκα
σβήνομαι	σβήστηκα

 Σε **-στηκα** έχει Αόριστο και το ρήμα «πείθομαι» → πείστηκα.

Ρήματα σε -ζομαι με Αόριστο σε -στηκα ή σε -χτηκα

1. Γενικά τα περισσότερα ρήματα σε **-ζομαι** έχουν Αόριστο σε **-στηκα**.

-ζομαι	-στηκα
σχηματίζομαι	σχηματίστηκα
δανείζομαι	δανείστηκα
αγοράζομαι	αγοράστηκα
ετοιμάζομαι	ετοιμάστηκα
κουράζομαι	κουράστηκα
λούζομαι	λούστηκα
εξετάζομαι	εξετάστηκα
σχεδιάζομαι	σχεδιάστηκα

2. Μερικά όμως από αυτά έχουν Αόριστο Παθητικής Φωνής σε **-χτηκα**. Συνήθως αυτά τα ρήματα έχουν Αόριστο Ενεργητικής Φωνής σε **-ξα** (κοιτάζω → κοίτα**ξα** → κοιτά**χτηκα**).

-ζομαι	-χτηκα
κοιτάζομαι	κοιτάχτηκα
αλλάζομαι	αλλάχτηκα
παίζομαι	παίχτηκα
στηρίζομαι	στηρίχτηκα

Χτες ***πληρώθηκα*** *και σήμερα ξόδεψα τα μισά λεφτά.*

Ήμουν χάλια και ***σηκώθηκα*** *στη μία το μεσημέρι από το κρεβάτι μου.*

Από τον φοβερό σεισμό ***σκοτώθηκαν*** *εκατό άνθρωποι.*

Όταν έγινε διακοπή ρεύματος, ***κλειστήκαμε*** *στο ασανσέρ για μία ώρα.*

Ξαφνικά ***σβήστηκαν*** *τα πάντα από τον υπολογιστή μου. Τρελάθηκα!*

Ρήματα Γ1 με Ανώμαλο Αόριστο

Ενεστώτας Ενεργητικής & Παθητικής Φωνής	**Αόριστος Ενεργητικής Φωνής**	**Αόριστος Παθητικής Φωνής**
σκέφτομαι	-----------	σκέφτηκα
χαίρομαι	-----------	χάρηκα
αισθάνομαι	-----------	αισθάνθηκα
βρίσκω-βρίσκομαι	βρήκα	βρέθηκα
ζεσταίνω-ζεσταίνομαι	ζέστανα	ζεστάθηκα
τρελαίνω-τρελαίνομαι	τρέλανα	τρελάθηκα
ντρέπομαι	-----------	ντράπηκα
κόβω-κόβομαι	έκοψα	κόπηκα
φαίνομαι	-----------	φάνηκα
καίω-καίγομαι	έκαψα	κάηκα
πλένω-πλένομαι	έπλυνα	πλύθηκα
υπόσχομαι	-----------	υποσχέθηκα
στέκομαι	-----------	στάθηκα
βρέχω-βρέχομαι	έβρεξα	βράχηκα
εύχομαι	-----------	ευχήθηκα
αντιστέκομαι	-----------	αντιστάθηκα
βλέπω-βλέπομαι	είδα	ειδώθηκα
δίνω-δίνομαι	έδωσα	δόθηκα
λέω-λέγομαι	είπα	ειπώθηκα/λέχθηκα
τρώω-τρώγομαι	έφαγα	φαγώθηκα
στέλνω-στέλνομαι	έστειλα	στάλθηκα
στρέφω-στρέφομαι	έστρεψα	στράφηκα
επιστρέφω-επιστρέφομαι	επέστρεψα	επιστράφηκα
μαθαίνω-μαθαίνομαι	έμαθα	μαθεύτηκα
επιτρέπω-επιτρέπομαι	επέτρεψα	επιτράπηκα
κλαίω-κλαίγομαι	έκλαψα	κλάφτηκα
καίω-καίγομαι	έκαψα	κάηκα
ακούω-ακούγομαι	άκουσα	ακούστηκα
σέβομαι	-----------	σεβάστηκα
απομακρύνω-απομακρύνομαι	απομάκρυνα	απομακρύνθηκα
κρίνω-κρίνομαι	έκρινα	κρίθηκα
κλίνω-κλίνομαι	έκλινα	κλίθηκα
παίρνω-παίρνομαι	πήρα	πάρθηκα
φέρομαι	-----------	φέρθηκα
προσφέρω-προσφέρομαι	προσέφερα	προσφέρθηκα
ενδιαφέρω-ενδιαφέρομαι	ενδιέφερα	ενδιαφέρθηκα

Χάρηκα *πολύ για τη γνωριμία!*

Αισθάνθηκε *χάλια, όταν έμαθε ότι έχασε τη δουλειά του.*

Αόριστος – Ρήματα Γ2

-άμαι κοιμάμαι λυπάμαι φοβάμαι θυμάμαι	**-ήθηκα**	κοιμάμαι-κοιμ**ήθηκα** λυπάμαι-λυπ**ήθηκα** φοβάμαι-φοβ**ήθηκα** θυμάμαι-θυμ**ήθηκα**	κοιμ**ήθηκα** κοιμ**ήθηκες** κοιμ**ήθηκε** κοιμ**ηθήκαμε** κοιμ**ηθήκατε** κοιμ**ήθηκαν/** κοιμ**ηθήκανε**	**-ήθηκα** **-ήθηκες** **-ήθηκε** **-ηθήκαμε** **-ηθήκατε** **-ήθηκαν/** **-ηθήκανε**

Λυπήθηκα *πολύ, όταν έμαθα ότι δεν πέρασα τις εξετάσεις.*

Τα παιδιά **φοβήθηκαν**, *όταν είδαν τα σκυλιά τόσο κοντά τους.*

Μετά το πάρτι όλοι **κοιμήθηκαν** *στην παραλία.*

Αόριστος – Ρήματα Γ3-Γ4

Τα ρήματα Γ3 και Γ4 έχουν έξι πιθανές καταλήξεις στον Αόριστο Παθητικής Φωνής (**-ήθηκα, -έθηκα, -έστηκα, -άστηκα, -άχτηκα, -ήχτηκα**), όπως φαίνεται στους παρακάτω πίνακες. Αυτές τις καταλήξεις τις φτιάχνω με βάση τον Αόριστο Ενεργητικής Φωνής. Η πιο συχνή κατάληξη είναι σε **-ήθηκα**.

Α. Σχηματισμός Αορίστου – Ρήματα Γ3 & Γ4 (-ήθηκα)

Τα περισσότερα ρήματα Γ3 & Γ4 έχουν Αόριστο σε **-ήθηκα**. Όσα από αυτά έχουν και ενεργητικό τύπο σχηματίζουν Αόριστο Ενεργητικής Φωνής σε **-ησα**.

Ενεστώτας Ενεργητικής & Παθητικής Φωνής	**Αόριστος Ενεργητικής Φωνής**	**Αόριστος Παθητικής Φωνής**	
-άω→-ιέμαι **-ώ→-ούμαι**	**-ησα→**	**-ήθηκα**	
αγαπάω-αγαπιέμαι γεννάω-γεννιέμαι απαντάω-απαντιέμαι συναντάω-συναντιέμαι συζητάω-συζητιέμαι χρησιμοποιώ-χρησιμοποιούμαι συγκινώ-συγκινούμαι ταλαιπωρώ-ταλαιπωρούμαι	αγάπ**ησα** γένν**ησα** απάντ**ησα** συνάντ**ησα** συζήτ**ησα** χρησιμοποί**ησα** συγκίν**ησα** ταλαιπώρ**ησα**	αγαπ**ήθηκα** γενν**ήθηκα** απαντ**ήθηκα** συναντ**ήθηκα** συζητ**ήθηκα** χρησιμοποι**ήθηκα** συγκιν**ήθηκα** ταλαιπωρ**ήθηκα**	αγαπ**ήθηκα** αγαπ**ήθηκες** αγαπ**ήθηκε** αγαπ**ηθήκαμε** αγαπ**ηθήκατε** αγαπ**ήθηκαν/** αγαπ**ηθήκανε**
Ρήματα μόνο με Παθητική Φωνή			
- χασμουριέμαι - αρνούμαι - ασχολούμαι - διηγούμαι - συνεννοούμαι	- - - - -	χασμουρ**ήθηκα** αρν**ήθηκα** ασχολ**ήθηκα** διηγ**ήθηκα** συνεννο**ήθηκα**	

Β. Σχηματισμός Αορίστου – Ρήματα Γ3 & Γ4 (-έστηκα, -έθηκα)

Μερικά από τα ρήματα Γ3 & Γ4 έχουν Αόριστο σε **-έθηκα/-έστηκα**. Όσα από αυτά έχουν και ενεργητικό τύπο σχηματίζουν Αόριστο Ενεργητικής Φωνής σε **-εσα**.

Ενεστώτας Ενεργητικής & Παθητικής Φωνής	Αόριστος Ενεργητικής Φωνής	Αόριστος Παθητικής Φωνής		
-άω→-ιέμαι **-ώ→-ούμαι**	**-εσα→**	**-έθηκα** **-έστηκα**		
- βαριέμαι - παραπονιέμαι εξαιρώ-εξαιρούμαι επαινώ-επαινούμαι καλώ-καλούμαι	- - εξαίρ**εσα** επαίν**εσα** κάλ**εσα**	βαρ**έθηκα** παραπον**έθηκα** εξαιρ**έθηκα** επαιν**έθηκα** καλ**έστηκα**	βαρ**έθηκα** βαρ**έθηκες** βαρ**έθηκε** βαρ**εθήκαμε** βαρ**εθήκατε** βαρ**έθηκαν**/ βαρ**εθήκανε**	καλ**έστηκα** καλ**έστηκες** καλ**έστηκε** καλ**εστήκαμε** καλ**εστήκατε** καλ**έστηκαν**/ καλ**εστήκανε**

Γ. Σχηματισμός Αορίστου – Ρήματα Γ3 & Γ4 (-άστηκα)

Κάποια ρήματα έχουν Αόριστο σε **-άστηκα**. Όσα από αυτά έχουν και ενεργητικό τύπο σχηματίζουν Αόριστο Ενεργητικής Φωνής σε **-ασα**.

Ενεστώτας Ενεργητικής & Παθητικής Φωνής	Αόριστος Ενεργητικής Φωνής	Αόριστος Παθητικής Φωνής	
-άω→-ιέμαι **-ώ→-ούμαι**	**-ασα→**	**-άστηκα**	γελ**άστηκα** γελ**άστηκες** γελ**άστηκε** γελ**αστήκαμε** γελ**αστήκατε** γελ**άστηκαν**/γελ**αστήκανε**
γελάω-γελιέμαι περνάω-περνιέμαι ξεχνάω-ξεχνιέμαι	γέλ**ασα** (πέρ~~ν~~ασα) πέρ**ασα** (ξέχ~~ν~~ασα) ξέχ**ασα**	γελ**άστηκα** περ**άστηκα** ξεχ**άστηκα**	

Δ. Σχηματισμός Αορίστου – Ρήματα Γ3 & Γ4 (-άχτηκα)

Λίγα έχουν Αόριστο σε **-άχτηκα**. Όσα από αυτά έχουν και ενεργητικό τύπο σχηματίζουν Αόριστο Ενεργητικής Φωνής σε **-αξα**.

Ενεστώτας Ενεργητικής & Παθητικής Φωνής	**Αόριστος Ενεργητικής Φωνής**	**Αόριστος Παθητικής Φωνής**	
-άω→-ιέμαι **-ώ→-ούμαι**	**-αξα→**	**-άχτηκα**	κοιτ**άχτηκα** κοιτ**άχτηκες** κοιτ**άχτηκε** κοιτ**αχτήκαμε** κοιτ**αχτήκατε** κοιτ**άχτηκαν**/κοιτ**αχτήκανε**
κοιτάω-κοιτιέμαι πετάω-πετιέμαι	κοίτ**αξα** πέτ**αξα**	κοιτ**άχτηκα** πετ**άχτηκα**	

Ε. Σχηματισμός Αορίστου – Ρήματα Γ3 & Γ4 (-ήχτηκα)

Τέλος, υπάρχουν και κάποια που έχουν Αόριστο σε **-ήχτηκα**. Όσα από αυτά έχουν και ενεργητικό τύπο σχηματίζουν Αόριστο Ενεργητικής Φωνής σε **-ηξα**.

Ενεστώτας Ενεργητικής & Παθητικής Φωνής	**Αόριστος Ενεργητικής Φωνής**	**Αόριστος Παθητικής Φωνής**	
-άω→-ιέμαι **-ώ→-ούμαι**	**-ηξα→**	**-ήχτηκα**	τραβ**ήχτηκα** τραβ**ήχτηκες** τραβ**ήχτηκε** τραβ**ηχτήκαμε** τραβ**ηχτήκατε** τραβ**ήχτηκαν**/τραβ**ηχτήκανε**
τραβάω	τράβ**ηξα**	τραβ**ήχτηκα**	

Αγαπήθηκαν *πολύ από την πρώτη στιγμή που* **συναντήθηκαν**.

Τα παιδιά **παραπονέθηκαν**, *γιατί είχαν πολύ διάβασμα.*

Οι βαθμοί του τελικού τεστ **περάστηκαν** *χτες.*

Οι φωτογραφίες που **τραβήχτηκαν** *στον γάμο τους δεν ήταν καθόλου καλές.*

6.2.2.6 Παρακείμενος Παθητικής Φωνής

Η χρήση είναι ίδια με αυτή του Παρακειμένου Ενεργητικής Φωνής. (→105)

Για να φτιάξω τον Παρακείμενο:

- παίρνω το γ' ενικό του Απλού Μέλλοντα (αυτός -ή -ό) χωρίς το «**θα**».
- βάζω μπροστά το ρήμα «έχω» στον Ενεστώτα.

Σχηματισμός Παρακειμένου – Ρήματα Γ1, Γ2, Γ3 & Γ4

Ενεστώτας Παθητικής Φωνής	Απλός Μέλλοντας	Παρακείμενος	
διαβάζομαι	(αυτός-ή-ό) ~~θα~~ διαβαστεί →	έχ**ω** διαβαστ**εί**	έχ**ω** διαβαστεί έχ**εις** διαβαστεί έχ**ει** διαβαστεί έχ**ουμε** διαβαστεί έχ**ετε** διαβαστεί έχ**ουν(ε)** διαβαστεί

Δεν **έχω κοιμηθεί** *καθόλου. Κοίτα τα μάτια μου.*

Το ποδόσφαιρο **έχει αγαπηθεί** *πολύ σε όλον τον κόσμο.*

Έχουν χρησιμοποιηθεί *ήδη αυτά τα ποτήρια.*

*Η κατάληξη των ρημάτων στον Παρακειμένο Παθητικής Φωνής είναι μία και είναι το «**-εί**». Το «**-εί**» παίρνει τόνο σε αντίθεση με τον Παρακείμενο Ενεργητικής Φωνής.*

*Παθητική φωνή: έχω διαβαστ**εί***
*Ενεργητική φωνή: έχω διαβάσ**ει***

6.2.2.7 Υπερσυντέλικος Παθητικής Φωνής

Η χρήση είναι ίδια με αυτή του Υπερσυντέλικου Ενεργητικής Φωνής. (⊙→107)

⊙⊙ Για να φτιάξω τον Υπερσυντέλικο:

- παίρνω το γ' ενικό του Απλού Μέλλοντα (αυτός -ή -ό) χωρίς το «**θα**».
- βάζω μπροστά το ρήμα «έχω» στον Αόριστο/Παρατατικό (**είχα**).

Σχηματισμός Υπερσυντέλικου – Ρήματα Γ1, Γ2, Γ3 & Γ4

Ενεστώτας	Απλός Μέλλοντας	Υπερσυντέλικος	
διαβάζομαι →	(αυτός-ή-ό) ~~θα~~ διαβαστεί →	είχα διαβαστεί	είχα διαβαστεί είχες διαβαστεί είχε διαβαστεί είχαμε διαβαστεί είχατε διαβαστεί είχαν(ε) διαβαστεί

Όταν έφτασε ο πατέρας τους, τα παιδιά **είχαν** *ήδη* **κοιμηθεί**.

Αυτο είναι το σπίτι που **είχα ονειρευτεί**.

Είχαμε επισκεφτεί *το Παρίσι πολύ παλιά.*

*Η κατάληξη των ρημάτων στον Υπερσυντέλικο Παθητικής Φωνής είναι μία και είναι το «**-εί**». Το «**-εί**» παίρνει τόνο σε αντίθεση με τον Υπερσυντέλικο Ενεργητικής Φωνής.*

*Παθητική φωνή: είχα διαβαστ**εί***
*Ενεργητική φωνή: είχα διαβάσ**ει***

6.2.2.8 Συντελεσμένος Μέλλοντας Παθητικής Φωνής

Η χρήση είναι ίδια με αυτή του Συντελεσμένου Μέλλοντα Ενεργητικής Φωνής. (→108)

Για να φτιάξω τον Συντελεσμένο Μέλλοντα:

- παίρνω τους τύπους του Παρακειμένου.
- βάζω μπροστά το «θα».

Σχηματισμός Συντελεσμένου Μέλλοντα – Ρήματα Γ1, Γ2, Γ3 & Γ4

Ενεστώτας	Παρακείμενος	Συντελεσμένος Μέλλοντας	
διαβάζομαι →	έχω διαβαστεί →	θα έχω διαβαστεί	θα έχω διαβαστεί θα έχεις διαβαστεί θα έχει διαβαστεί θα έχουμε διαβαστεί θα έχετε διαβαστεί θα έχουν(ε) διαβαστεί

Μέχρι το μεσημέρι **θα έχει ψηθεί** *το αρνάκι.*

Πριν τις δέκα το παιδί **θα έχει κοιμηθεί**.

Λένε ότι μέχρι το 2040 **θα έχουν βρεθεί** *τα φάρμακα για όλες τις αρρώστιες.*

*Η κατάληξη των ρημάτων στον Συντελεσμένο Μέλλοντα Παθητικής Φωνής είναι μία και είναι το «**-εί**». Το «**-εί**» παίρνει τόνο σε αντίθεση με τον Συντελεσμένο Μέλλοντα Ενεργητικής Φωνής.*

*Παθητική φωνή: θα έχω διαβαστ**εί***
*Ενεργητική φωνή: θα έχω διαβάσ**ει***

6.3 ΥΠΟΤΑΚΤΙΚΗ

*Η Υποτακτική είναι ένας τύπος του ρήματος που συνήθως έχει μπροστά του το «**να**» ή κάποιες άλλες λέξεις όπως τα «**μην**», «**όταν**», «**πριν**», «**αν**» και έχει διάφορες χρήσεις. Η Υποτακτική μπορεί να είναι Συνεχής ή Απλή.*
***Προσοχή**: Η Υποτακτική **δεν είναι χρόνος και δεν δείχνει χρόνο**.*

Στον παρακάτω πίνακα φαίνονται κάποια ρήματα, φράσεις και λέξεις που θέλουν Υποτακτική (Συνεχή ή Απλή).

Σημασία	**Ρήματα, φράσεις & λέξεις με Υποτακτική**	**Παράδειγμα**
επιθυμία	θέλω, προτιμώ, σκοπεύω, ελπίζω κ.ά.	*Θέλω **να πάω** ένα ταξίδι στο εξωτερικό.*
ευχή	εύχομαι, μακάρι κ.ά.	*Μακάρι **να** τα **καταφέρεις**.*
προσταγή		***Να** μην **μιλάς** όταν μιλάω εγώ.*
δυνατότητα	μπορώ κ.ά.	*Μπορούμε **να καθίσουμε** εδώ;*
πιθανότητα	μπορεί, είναι πιθανό κ.ά.	*Μπορεί **να βρέξει** σήμερα, γι' αυτό βάλε μπότες.*
κανόνας/ανάγκη	πρέπει, χρειάζεται, καλό είναι, απαγορεύεται, επιτρέπεται κ.ά.	*Πρέπει **να πάω** στο σούπερ μάρκετ.*

6.3.1 Ενεργητική Φωνή

6.3.1.1 Συνεχής Υποτακτική Ενεργητικής Φωνής

Χρησιμοποιώ τη Συνεχή Υποτακτική (να + Ενεστώτας) για μια πράξη που γινόταν, γίνεται ή θα γίνεται συνέχεια.

Ρήματα/Φράσεις που συνήθως παίρνουν μετά Συνεχή Υποτακτική

- *βλέπω, ακούω*
- *μαθαίνω, ξέρω*
- *φαίνομαι, δείχνω*
- *αρχίζω, ξεκινάω*
- *συνεχίζω, εξακολουθώ*
- *σταματάω, τελειώνω, παύω*
- *συνηθίζω*
- *νιώθω, αισθάνομαι*
- *μου αρέσει, ευχαριστιέμαι, χαίρομαι, τρελαίνομαι*
- *με εκνευρίζει, στενοχωριέμαι, νευριάζω*
- *κουράζομαι*

 Όταν το ρήμα «σταματάω» σημαίνει «κάνω στάση», τότε παίρνει μετά Απλή Υποτακτική.

Από σήμερα σταματάω ***να καπνίζω****. (= Πριν κάπνιζα, από σήμερα σταματάω)*

Αλλά: *Σταμάτησα* ***να καπνίσω*** *ένα τσιγάρο. (= Έκανα στάση.)*

ʘʘ Για να φτιάξω τη Συνεχή Υποτακτική:

- παίρνω τον τύπο του Ενεστώτα.
- βάζω μπροστά «να».
  διαβάζω → **να** διαβάζω

Σχηματισμός Συνεχούς Υποτακτικής – Ρήματα Α, Β1 & Β2

Ρήματα Α (-ω)	να διαβάζω να διαβάζ**εις** να διαβάζ**ει** να διαβάζ**ουμε** να διαβάζ**ετε** να διαβάζ**ουν(ε)**	να +	**-ω** **-εις** **-ει** **-ουμε** **-ετε** **-ουν(ε)**
Ρήματα Β1 (-άω/-ώ)	να αγαπ**άω**/αγαπ**ώ** να αγαπ**άς** να αγαπ**άει**/αγαπ**ά** να αγαπ**άμε** να αγαπ**άτε** να αγαπ**άνε**/αγαπ**ούν**	να +	**-άω/-ώ** **-άς** **-άει/-ά** **-άμε** **-άτε** **-άνε/-ούν**
Ρήματα Β2 (-ώ)	να οδηγ**ώ** να οδηγ**είς** να οδηγ**εί** να οδηγ**ούμε** να οδηγ**είτε** να οδηγ**ούν(ε)**	να +	**-ώ** **-είς** **-εί** **-ούμε** **-είτε** **-ούν(ε)**

*Ξέρω ότι δεν πρέπει, αλλά συνεχίζω **να καπνίζω**.*

*Χθες το βράδυ σε είδανε **να βγαίνεις** από το σινεμά.*

*Σταμάτα **να μιλάς** πια!*

*Σας ακούμε **να ψιθυρίζετε** όλη την ώρα.*

*Θέλει **να** σε **βλέπει** κάθε μέρα.*

6.3.1.2 Απλή Υποτακτική Ενεργητικής Φωνής

Χρησιμοποιώ την Απλή Υποτακτική:
- *για μια πράξη που έγινε, γίνεται ή θα γίνει μία φορά.*
- *για μια ολοκληρωμένη πράξη.*

Ρήματα/Φράσεις που συνήθως παίρνουν μετά Απλή Υποτακτική
- *ανυπομονώ, βιάζομαι, δεν βλέπω την ώρα, ακόμα*
- *είναι ώρα*
- *περιμένω*
- *ψάχνω*
- *προλαβαίνω*
- *είναι πιθανό, είναι απίθανο*
- *λίγο έλειψε, παρά τρίχα, παρά λίγο*
- *κοντεύω*
- *πάω*
- *είναι η σειρά μου*
- *έχω*
- *αργώ*

Για να φτιάξω την Απλή Υποτακτική Ενεργητικής Φωνής:
- παίρνω τον τύπο του Απλού Μέλλοντα Ενεργητικής Φωνής,
- βγάζω το «θα»,
- βάζω το «να».

*τελειώνω → ~~θα~~ τελειώσω → **να τελειώσω***

Σχηματισμός Απλής Υποτακτικής - Ρήματα Α

-νω→ -θω→ -ζω*→	-σω	τελειώνω → να τελειώ**σω** πείθω → να πεί**σω** διαβάζω → να διαβά**σω**	να διαβά**σω** να διαβά**σεις** να διαβά**σει** να διαβά**σουμε** να διαβά**σετε** να διαβά**σουν(ε)**	να +	**-σω** **-σεις** **-σει** **-σουμε** **-σετε** **-σουν(ε)**
-ζω*→ -κω→ -γω→ -χω→ -χνω→ -σκω→	-ξω	αλλάζω → να αλλά**ξω** μπλέκω → να μπλέ**ξω** ανοίγω → να ανοί**ξω** προσέχω → να προσέ**ξω** φτιάχνω → να φτιά**ξω** διδάσκω → να διδά**ξω**	να αλλά**ξω** να αλλά**ξεις** να αλλά**ξει** να αλλά**ξουμε** να αλλά**ξετε** να αλλά**ξουν(ε)**	να +	**-ξω** **-ξεις** **-ξει** **-ξουμε** **-ξετε** **-ξουν(ε)**
-πω→ -βω→ -φω→ -πτω→	-ψω	λείπω → να λεί**ψω** ανάβω → να ανά**ψω** γράφω → να γρά**ψω** ανακαλύπτω → να ανακαλύ**ψω**	να γρά**ψω** να γρά**ψεις** να γρά**ψει** να γρά**ψουμε** να γρά**ψετε** να γρά**ψουν(ε)**	να +	**-ψω** **-ψεις** **-ψει** **-ψουμε** **-ψετε** **-ψουν(ε)**
-εύω→	-έψω	δουλεύω → να δουλ**έψω**	να δουλ**έψω** να δουλ**έψεις** να δουλ**έψει** να δουλ**έψουμε** να δουλ**έψετε** να δουλ**έψουν(ε)**	να +	**-έψω** **-έψεις** **-έψει** **-έψουμε** **-έψετε** **-έψουν(ε)**
-αύω→	-άψω	παύω → να **πάψω**	να **πάψω** να **πάψεις** να **πάψει** να **πάψουμε** να **πάψετε** να **πάψουν(ε)**	να +	**-άψω** **-άψεις** **-άψει** **-άψουμε** **-άψετε** **-άψουν(ε)**

- **Έχω να** → *πρέπει να*

  Έχω να διαβάσω *τρία κεφάλαια γραμματικής . (= Πρέπει να διαβάσω τρία κεφάλαια γραμματικής.)*

- **Έχω να (με χρονική περιόδο) → *η τελευταία φορά που...***

  Έχω να διαβάσω *από την Τρίτη. (= Η τελευταία φορά που διάβασα ήταν την Τρίτη.)*

Ρήματα σε -ζω με Απλή Υποτακτική σε -σω ή σε -ξω

Γενικά τα περισσότερα ρήματα σε -ζω (και κυρίως τα ρήματα σε -ίζω) φτιάχνουν Απλή Υποτακτική σε –σω. π.χ. διαβάζω→ να διαβάσω, αγοράζω → να αγοράσω, ετοιμάζω → να ετοιμάσω, αρχίζω → να αρχίσω κ.ά.

Υπάρχουν και κάποια ρήματα σε -ζω που φτιάχνουν Απλή Υποτακτική σε -ξω, όπως το αλλάζω → να αλλάξω. Μερικά από αυτά φαίνονται στον παρακάτω πίνακα.

αλλάζω → να αλλάξω
κοιτάζω → να κοιτάξω
πειράζω → να πειράξω
παίζω → να παίξω
φωνάζω → να φωνάξω
βουλιάζω → να βουλιάξω
στηρίζω → να στηρίξω ***(σε -ίζω αλλά → ξω)***
αγγίζω → να αγγίξω ***(σε -ίζω αλλά → ξω)***
σφυρίζω → να σφυρίξω ***(σε -ίζω αλλά → ξω)***

Ρήματα σε -εύω με Απλή Υποτακτική σε -έψω ή σε -εύσω

Γενικά τα περισσότερα ρήματα σε -εύω φτιάχνουν Απλή Υποτακτική σε -έψω π.χ. μαγειρεύω → να μαγειρέψω, μαγεύω → να μαγέψω, παντρεύω → να παντρέψω κ.ά.

Κάποια ρήματα σε -εύω έχουν Απλή Υποτακτική σε -εύσω.
Τα πιο συχνά από αυτά φαίνονται στον παρακάτω πίνακα.

εκπαιδεύω → να εκπαιδεύσω
δημοσιεύω → να δημοσιεύσω
γοητεύω → να γοητεύσω
απογοητεύω → να απογοητεύσω
προοδεύω → να προοδεύσω
απαγορεύω → να απαγορεύσω

Πάω ***να διαβάσω*** *και μετά* ***να μαγειρέψω****.*

Μπορείς ***να ανοίξεις*** *την πόρτα, σε παρακαλώ;*

Είναι η σειρά σου ***να φτιάξεις*** *φαγητό.*

Σήμερα έχω ***να καθαρίσω*** *όλο το σπίτι. (=* ***Πρέπει*** *να καθαρίσω.)*

Έχω ***να καθαρίσω*** *το σπίτι από τον προηγούμενο μήνα.*
*(=****Η τελευταία φορά που*** *καθάρισα το σπίτι ήταν τον προηγούμενο μήνα.)*

Μερικά ρήματα σε **-νω** και τα ρήματα σε **-ρω** σχηματίζουν την Απλή Υποτακτική με τον τρόπο που φαίνεται στον παρακάτω πίνακα.

-νω→ -νω	κρίνω κλίνω κ.ά.	να κρίνω να κλίνω	Η Απλή Υποτακτική σε αυτά τα ρήματα είναι ο τύπος του Ενεστώτα μαζί με το «να».
-νω→ -νω	μολύνω ενθαρρύνω απομακρύνω κ.ά.	να μολύνω να ενθαρρύνω να απομακρύνω	
-αίνω→ -άνω	γλυκαίνω πικραίνω ζεσταίνω τρελαίνω πεθαίνω ανασαίνω κ.ά.	να γλυκάνω να πικράνω να ζεστάνω να τρελάνω να πεθάνω να ανασάνω	
-άνω/-αίνω→ -ήσω	αυξάνω αρρωσταίνω ανασταίνω κ.ά.	να αυξήσω να αρρωστήσω να αναστήσω	
-άρω→ -άρω	γουστάρω παρκάρω φρενάρω σοκάρω φρεσκάρω τσεκάρω κ.ά.	να γουστάρω να παρκάρω να φρενάρω να σοκάρω να φρεσκάρω να τσεκάρω	Η Απλή Υποτακτική σε αυτά τα ρήματα είναι ο τύπος του Ενεστώτα μαζί με το «να».
-ίρω→ -ίρω	σερβίρω κ.ά.	να σερβίρω	

Αυτός μπορεί ***να*** *σε* ***τρελάνει*** *μέσα σε λίγα δευτερόλεπτα!*

Θέλεις ***να*** *σου* ***ζεστάνω*** *το φαγητό;*

Μπορείς ***να*** *τους* ***σερβίρεις*** *το φαγητό;*

Ανώμαλα Ρήματα στην Απλή Υποτακτική

βγαίνω	να βγω
μπαίνω	να μπω
βρίσκω	να βρω
ανεβαίνω	να ανέβω/να ανεβώ
κατεβαίνω	να κατέβω/να κατεβώ
παίρνω	να π**ά**ρω
πηγαίνω/πάω	να π**ά**ω
πλένω	να πλ**ύ**νω
φεύγω	να φ**ύ**γω
λέω	να πω
βλέπω	να δω
πίνω	να πιω
ξέρω	να ξέρω
έχω	να έχω
είμαι	να είμαι
στέλνω	να στ**εί**λω
μένω	να μ**εί**νω
παραγγέλνω	να παραγγ**εί**λω

θέλω	να θελήσω
παθαίνω	να πά**θ**ω
μαθαίνω	να μά**θ**ω
βάζω	να βά**λ**ω
βγάζω	να βγά**λ**ω
πέφτω	να πέσω
τρώω	να φάω
ακούω	να ακούσω
φταίω	να φταίξω
καίω	να κά**ψ**ω
κλαίω	να κλά**ψ**ω
δίνω	να δώσω
καταλαβαίνω	να καταλάβω
φέρνω	να φέρω
γίνομαι	να γίνω
έρχομαι	να έρθω
κάθομαι	να καθίσω/να κάτσω

⚠ Τα ρήματα «**γίνομαι**», «**έρχομαι**», «**κάθομαι**» είναι ρήματα Παθητικής Φωνής (Γ1), αλλά έχουν Απλή Υποτακτική Ενεργητικής Φωνής.

Ανώμαλα ρήματα με διαφορετική κατάληξη Απλής Υποτακτικής

Τα παρακάτω ρήματα έχουν διαφορετική ρίζα στην Απλή Υποτακτική, αλλά και διαφορετικές καταλήξεις από τις συνηθισμένες της Απλής Υποτακτικής. Οι καταλήξεις τους είναι όπως αυτές των ρημάτων Β2 στον Ενεστώτα.

Ενεστώτας	**Απλή Υποτακτική**	
βλέπω	να δω να δεις να δει να δούμε να δείτε να δουν/να δούνε	-ω -εις -ει -ούμε -είτε -ουν/-ούνε
λέω	να πω	
πίνω	να πιω	
μπαίνω	να μπω	
βγαίνω	να βγω	
βρίσκω	να βρω	
ανεβαίνω	να ανεβώ	
κατεβαίνω	να κατεβώ	

⚠ Τα ρήματα «ανεβαίνω» και «κατεβαίνω» έχουν δύο τύπους στην Απλή Υποτακτική:

ανεβαίνω → να ανεβώ-είς-εί-ούμε-**είτε**-ούν (Δες τον παραπάνω πίνακα) και
να ανέβω-εις-ει-ουμε-**ετε**-ουν

κατεβαίνω → να κατεβώ-είς-εί-ούμε-**είτε**-ούν (Δες τον παραπάνω πίνακα) και
να κατέβω-εις-ει-ουμε-**ετε**-ουν

Τα ανώμαλα ρήματα «τρώω» και «πάω» στην Απλή Υποτακτική (διαφορετική κατάληξη)

Τα ρήματα «τρώω» και «πάω» έχουν και αυτά διαφορετικές καταλήξεις από τις συνηθισμένες καταλήξεις της Απλής Υποτακτικής.

Ενεστώτας	**Απλή Υποτακτική**	
τρώω	να φάω να φας να φάει να φάμε να φάτε να φάνε	-ω -ς -ει -με -τε -νε
Όπως το «να φάω» κλίνεται και το «να πάω».		

⚠ Το ρήμα «**πηγαίνω/πάω**» έχει Απλή Υποτακτική «**να πάω**» (= να πάω μία φορά).
Ο τύπος «**να πηγαίνω**» (= να πηγαίνω συνέχεια) είναι Συνεχής Υποτακτική.

Ρήματα που φτιάχνουν Απλή Υποτακτική με «να + Ενεστώτα»

Τα παρακάτω ρήματα φτιάχνουν Απλή Υποτακτική με το «**να**» και τον τύπο του Ενεστώτα.

Ενεστώτας	**Απλή Υποτακτική**
είμαι	**να** είμαι
έχω	**να** έχω
κάνω	**να** κάνω
ξέρω	**να** ξέρω
περιμένω	**να** περιμένω
πάω/πηγαίνω	**να** πάω

*Πάω σπίτι, γιατί έχω **να δω** τη μαμά μου από τον προηγούμενο μήνα.*

*Δεν μπορούν **να βγουν** απόψε, γιατί έχουν δουλειά στο γραφείο.*

*Σήμερα λέμε **να φάμε** μόνο φρούτα.*

*Μπορείς **να κάνεις** ησυχία, γιατί διαβάζω;*

Σχηματισμός Απλής Υποτακτικής – Ρήματα Β1 & Β2

Δεν υπάρχει κανόνας για το πότε ένα ρήμα Β (Β1 ή Β2) αλλάζει στην Απλή Υποτακτική σε **-ήσω, -άσω, -έσω, -ήξω, -άξω**. Γενικά τα περισσότερα ρήματα Β έχουν Απλή Υποτακτική σε **-ήσω**.

-άω/-ώ→	**-ήσω**	αγαπάω → να αγαπ**ήσω** ρωτάω → να ρωτ**ήσω** απαντάω → να απαντ**ήσω** ξυπνάω → να ξυπν**ήσω** συναντάω → να συναντ**ήσω** περπατάω → να περπατ**ήσω** σταματάω → να σταματ**ήσω** φιλάω → να φιλ**ήσω** αργώ → να αργ**ήσω** τηλεφωνώ → να τηλεφων**ήσω** χρησιμοποιώ → να χρησιμοποι**ήσω**	να αγαπ**ήσω** να αγαπ**ήσεις** να αγαπ**ήσει** να αγαπ**ήσουμε** να αγαπ**ήσετε** να αγαπ**ήσουν(ε)**	**-ήσω** **-ήσεις** **-ήσει** **-ήσουμε** **-ήσετε** **-ήσουν(ε)**
-άω/-ώ→	**-άσω**	διψάω → να διψ**άσω** πεινάω → να πειν**άσω** γελάω → να γελ**άσω** περνάω → (να περ~~ν~~άσω) να περ**άσω** ξεχνάω → (να ξεχ~~ν~~άσω) να ξεχ**άσω** κερνάω → (να κερ~~ν~~άσω) να κερ**άσω**	να γελ**άσω** να γελ**άσεις** να γελ**άσει** να γελ**άσουμε** να γελ**άσετε** να γελ**άσουν(ε)**	**-άσω** **-άσεις** **-άσει** **-άσουμε** **-άσετε** **-άσουν(ε)**

-άω/-ώ→	-έσω	φοράω → να φορέσω πονάω → να πονέσω καλώ → να καλέσω χωράω → να χωρέσω εκτελώ → να εκτελέσω εξαιρώ → να εξαιρέσω επαινώ → να επαινέσω	να φορέσω να φορέσεις να φορέσει να φορέσουμε να φορέσετε να φορέσουν(ε)	-έσω -έσεις -έσει -έσουμε -έσετε -έσουν(ε)
-άω/-ώ→	-ήξω	πηδάω → να πηδήξω τραβάω → να τραβήξω φυσάω → να φυσήξω βουτάω → να βουτήξω	να τραβήξω να τραβήξεις να τραβήξει να τραβήξουμε να τραβήξετε να τραβήξουν(ε)	-ήξω -ήξεις -ήξει -ήξουμε -ήξετε -ήξουν(ε)
-άω/-ώ→	-άξω	κοιτάω → να κοιτάξω πετάω → να πετάξω φυλάω → να φυλάξω	να κοιτάξω να κοιτάξεις να κοιτάξει να κοιτάξουμε να κοιτάξετε να κοιτάξουν(ε)	-άξω -άξεις -άξει -άξουμε -άξετε -άξουν(ε)

⚠ φιλάω → να φιλήσω **αλλά** φυλάω → να φυλάξω

⚠ Και το ρήμα Α «**κοιτάζω**» έχει Απλή Υποτακτική «**να κοιτάξω**» αλλά με άλλο τρόπο σχηματισμού.
(Ρήμα Α) κοιτάζω → να κοιτάξω και (Ρήμα Β1) κοιτάω → να κοιτάξω (Δες και τον παραπάνω πίνακα)

Προσοχή στα παρακάτω ρήματα Β.

ζω → να ζήσω μεθάω → να μεθύσω σπάω → να σπάσω δρω → να δράσω

*Γιατί θέλεις **να πάμε** με το αυτοκίνητο; Εγώ λέω **να περπατήσουμε**.*

*Μήπως **να ρωτήσουμε** τον υπεύθυνο πριν **τηλεφωνήσουμε**;*

6.3.2 Παθητική Φωνή

6.3.2.1 Συνεχής Υποτακτική Παθητικής Φωνής

Η χρήση είναι ίδια με τη Συνεχή Υποτακτική της Ενεργητικής Φωνής. (⊙→130)

⊙⊙ Για να φτιάξω τη Συνεχή Υποτακτική Παθητικής Φωνής:

- παίρνω τον τύπο του Ενεστώτα Παθητικής Φωνής.
- βάζω το «να».

*κουράζομαι → **να** κουράζομαι*

Ρήματα Γ1 (-ομαι)	να κουράζομαι να κουράζεσαι να κουράζεται να κουραζόμαστε να κουραζόσαστε/κουράζεστε να κουράζονται	να +	-ομαι -εσαι -εται -όμαστε -όσαστε/-εστε -ονται
Ρήματα Γ2 (-άμαι) κοιμάμαι λυπάμαι φοβάμαι θυμάμαι	να κοιμάμαι να κοιμάσαι να κοιμάται να κοιμόμαστε να κοιμόσαστε/κοιμάστε να κοιμούνται	να +	-άμαι -άσαι -άται -όμαστε -όσαστε/-άστε -ούνται
Ρήματα Γ3 (-ιέμαι)	να αγαπιέμαι να αγαπιέσαι να αγαπιέται να αγαπιόμαστε να αγαπιόσαστε/αγαπιέστε να αγαπιούνται	να +	-ιέμαι -ιέσαι -ιέται -ιόμαστε -ιόσαστε/-ιέστε -ιούνται
Ρήματα Γ4 (-ούμαι)	να οδηγούμαι να οδηγείσαι να οδηγείται να οδηγούμαστε να οδηγείστε να οδηγούνται	να +	-ούμαι -είσαι -είται -ούμαστε -είστε -ούνται

Μου αρέσει ***να κοιμάμαι*** *με την τηλεόραση ανοιχτή.*

Με εκνευρίζει ***να αρνείσαι*** *κάθε φορά ότι έκανες λάθος.*

Από σήμερα θα αρχίσουν ***να γυμνάζονται*** *δύο ώρες κάθε μέρα.*

6.3.2.2 Απλή Υποτακτική Παθητικής Φωνής

Η χρήση είναι ίδια με αυτή της Απλής Υποτακτικής Ενεργητικής Φωνής. *(→132)*

Για να φτιάξω την Απλή Υποτακτική Παθητικής Φωνής:

- παίρνω τον τύπο του Απλού Μέλλοντα Παθητικής Φωνής,
- βγάζω το «θα»,
- βάζω το «να».

ντύνομαι → ~~θα~~ ντυθώ → ***να ντυθώ***

Σχηματισμός Απλής Υποτακτικής – Ρήματα Γ1

-νομαι→	-θώ -στώ	ντύνομαι → να ντυθώ κλείνομαι → να κλειστώ	να ντυ**θώ** να ντυ**θείς** να ντυ**θεί** να ντυ**θούμε** να ντυ**θείτε** να ντυ**θούν(ε)**	να κλει**στώ** να κλει**στείς** να κλει**στεί** να κλει**στούμε** να κλει**στείτε** να κλει**στούν(ε)**	να +	**-θώ** **-θείς** **-θεί** **-θούμε** **-θείτε** **-θούν(ε)**	**-στώ** **-στείς** **-στεί** **-στούμε** **-στείτε** **-στούν(ε)**
-ζομαι*→	-στώ	κουράζομαι → να κουραστώ					
-ζομαι*→ **-κομαι→** **-γομαι→** **-χομαι→** **-χνομαι→** **-σκομαι→**	-χτώ	κοιτάζομαι → να κοιταχτώ μπλέκομαι → να μπλεχτώ ανοίγομαι → να ανοιχτώ δέχομαι → να δεχτώ φτιάχνομαι → να φτιαχτώ διδάσκομαι → να διδαχτώ	να κοιτα**χτώ** να κοιτα**χτείς** να κοιτα**χτεί** να κοιτα**χτούμε** να κοιτα**χτείτε** να κοιτα**χτούν(ε)**		να +	**-χτώ** **-χτείς** **-χτεί** **-χτούμε** **-χτείτε** **-χτούν(ε)**	
-πομαι → **-βομαι→** **-φομαι→** **-πτομαι→**	-φτώ	εγκαταλείπομαι → να εγκαταλειφτώ κρύβομαι → να κρυφτώ γράφομαι → να γραφτώ επισκέπτομαι → να επισκεφτώ	να γρα**φτώ** να γρα**φτείς** να γρα**φτεί** να γρα**φτούμε** να γρα**φτείτε** να γρα**φτούν(ε)**		να +	**-φτώ** **-φτείς** **-φτεί** **-φτούμε** **-φτείτε** **-φτούν(ε)**	
-εύομαι→	-ευτώ	παντρεύομαι → να παντρευτώ	να παντρ**ευτώ** να παντρ**ευτείς** να παντρ**ευτεί** να παντρ**ευτούμε** να παντρ**ευτείτε** να παντρ**ευτούν(ε)**		να +	**-ευτώ** **-ευτείς** **-ευτεί** **-ευτούμε** **-ευτείτε** **-ευτούν(ε)**	
-αύομαι→	-αυτώ	αναπαύομαι → να αναπαυτώ	να αναπ**αυτώ** να αναπ**αυτείς** να αναπ**αυτεί** να αναπ**αυτούμε** να αναπ**αυτείτε** να αναπ**αυτούν(ε)**		να +	**-αυτώ** **-αυτείς** **-αυτεί** **-αυτούμε** **-αυτείτε** **-αυτούν(ε)**	

Θέλεις **να** *με* **παντρευτείς***;*

Πότε πρέπει **να γραφτούμε** *στη Σχολή;*

Λέω **να δεχτώ** *τη συγγνώμη του.*

Ρήματα σε -νομαι με Απλή Υποτακτική σε -θώ ή σε -στώ

1. Γενικά τα περισσότερα ρήματα σε **-νομαι** έχουν Απλή Υποτακτική σε **-θώ**.

-νομαι	**-θώ**
ντύνομαι	να ντυθώ
χάνομαι	να χαθώ
πληρώνομαι	να πληρωθώ
σηκώνομαι	να σηκωθώ
κλειδώνομαι	να κλειδωθώ
σημειώνομαι	να σημειωθώ
σκοτώνομαι	να σκοτωθώ
ενημερώνομαι	να ενημερωθώ
βελτιώνομαι	να βελτιωθώ

2. Μερικά όμως από τα ρήματα σε **-νόμαι** έχουν Απλή Υποτακτική σε **-στώ**.

-νομαι	**-στώ**
κλείνομαι	να κλειστώ
πιάνομαι	να πιαστώ
σβήνομαι	να σβηστώ

 Σε **-στώ** έχει Απλή Υποτακτική και το ρήμα «πείθομαι» → να πειστώ.

Ρήματα σε -ζομαι με Απλή Υποτακτική σε -στώ ή σε -χτώ

1. Γενικά τα περισσότερα ρήματα σε **-ζομαι** έχουν Απλή Υποτακτική σε **-στώ**.

-ζομαι	**-στώ**
σχηματίζομαι	να σχηματιστώ
δανείζομαι	να δανειστώ
αγοράζομαι	να αγοραστώ
ετοιμάζομαι	να ετοιμαστώ
κουράζομαι	να κουραστώ
λούζομαι	να λουστώ
εξετάζομαι	να εξεταστώ
σχεδιάζομαι	να σχεδιαστώ

2. Μερικά ρήματα σε **-ζομαι** όμως έχουν Απλή Υποτακτική σε **-χτώ**. Συνήθως αυτά τα ρήματα έχουν Απλή Υποτακτική Ενεργητικής Φωνής σε **-ξω** (κοιτάζω → να κοιτά**ξω** → να κοιτα**χτώ**).

-ζομαι	-χτώ
κοιτάζομαι	να κοιταχτώ
αλλάζομαι	να αλλαχτώ
παίζομαι	να παιχτώ
στηρίζομαι	να στηριχτώ

Θα ήθελα ***να ενημερωθώ*** *για το πρόγραμμα των μαθημάτων, παρακαλώ.*

Μπορείς ***να στηριχτείς*** *πάνω μου. Μην ανησυχείς.*

Τα παιδιά δεν προλαβαίνουν ***να ετοιμαστούν*** *για την εκδρομή, γιατί έχουν πολύ διάβασμα.*

Ρήματα Γ1 με Ανώμαλη Απλή Υποτακτική

Ενεστώτας Ενεργητικής & Παθητικής Φωνής	Απλή Υποτακτική Ενεργητικής Φωνής	Απλή Υποτακτική Παθητικής Φωνής
σκέφτομαι	-----------	να σκεφτώ
χαίρομαι	-----------	να χαρώ
αισθάνομαι	-----------	να αισθανθώ
βρίσκω-βρίσκομαι	να βρω	να βρεθώ
ζεσταίνω-ζεσταίνομαι	να ζεστάνω	να ζεσταθώ
τρελαίνω-τρελαίνομαι	να τρελάνω	να τρελαθώ
ντρέπομαι	-----------	να ντραπώ
κόβω-κόβομαι	να κόψω	να κοπώ
φαίνομαι	-----------	να φανώ
πλένω-πλένομαι	να πλύνω	να πλυθώ
υπόσχομαι	-----------	να υποσχεθώ
στέκομαι	-----------	να σταθώ
βρέχω-βρέχομαι	να βρέξω	να βραχώ
εύχομαι	-----------	να ευχηθώ
αντιστέκομαι	-----------	να αντισταθώ
βλέπω-βλέπομαι	να δω	να ιδωθώ
δίνω-δίνομαι	να δώσω	να δοθώ
λέω-λέγομαι	να πω	να ειπωθώ/λεχθώ
τρώω-τρώγομαι	να φάω	να φαγωθώ
στέλνω-στέλνομαι	να στείλω	να σταλθώ/σταλώ
στρέφω-στρέφομαι	να στρέψω	να στραφώ
επιστρέφω-επιστρέφομαι	να επιστρέψω	να επιστραφώ

μαθαίνω-μαθαίνομαι	να μάθω	να μαθευτώ
επιτρέπω-επιτρέπομαι	να επιτρέψω	να επιτραπώ
κλαίω-κλαίγομαι	να κλάψω	να κλαφτώ
καίω-καίγομαι	να κάψω	να καώ
ακούω-ακούγομαι	να ακούσω	να ακουστώ
σέβομαι	---------	να σεβαστώ
απομακρύνω-απομακρύνομαι	να απομακρύνω	να απομακρυνθώ
κρίνω-κρίνομαι	να κρίνω	να κριθώ
κλίνω-κλίνομαι	να κλίνω	να κλιθώ
παίρνω-παίρνομαι	να πάρω	να παρθώ
φέρομαι	---------	να φερθώ
προσφέρω-προσφέρομαι	να προσφέρω	να προσφερθώ
ενδιαφέρω-ενδιαφέρομαι	να ενδιαφέρω	να ενδιαφερθώ

*Θέλω **να** μου **υποσχεθείς** ότι θα γυρίζεις νωρίς σπίτι.*

*Είναι αδύνατον **να αντισταθώ** στη σοκολάτα.*

*Λίγο έλειψε **να καεί** όλο το σπίτι, επειδή ξέχασα το μάτι της κουζίνας ανοιχτό.*

Σχηματισμός Απλής Υποτακτικής – Ρήματα Γ2

-άμαι κοιμάμαι λυπάμαι φοβάμαι θυμάμαι	**-ηθώ**	κοιμάμαι → να κοιμ**ηθώ** λυπάμαι → να λυπ**ηθώ** φοβάμαι → να φοβ**ηθώ** θυμάμαι → να θυμ**ηθώ**	να κοιμ**ηθώ** να κοιμ**ηθείς** να κοιμ**ηθεί** να κοιμ**ηθούμε** να κοιμ**ηθείτε** να κοιμ**ηθούν(ε)**	**-ηθώ** **-ηθείς** **-ηθεί** **-ηθούμε** **-ηθείτε** **-ηθούν(ε)**

*Πρέπει **να θυμηθείς** πού έβαλες τα κλειδιά σου.*

*Ο Αντώνης πάντα αργεί **να κοιμηθεί** και αργεί να ξυπνήσει.*

*Είναι πολύ πιθανό τα παιδιά **να φοβηθούν**, αν δουν αυτή την τρομακτική ταινία μόνα τους.*

Απλή Υποτακτική - Ρήματα Γ3 & Γ4

Τα ρήματα Γ3 και Γ4 έχουν έξι πιθανές καταλήξεις στην Απλή Υποτακτική Παθητικής Φωνής (**-ηθώ, -εθώ, -εστώ, -αστώ, -αχτώ, -ηχτώ**) όπως φαίνονται στους παρακάτω πίνακες. Αυτές τις καταλήξεις τις φτιάχνω με βάση την Απλή Υποτακτική Ενεργητικής Φωνής. Η πιο συχνή κατάληξη είναι σε **-ηθώ**.

Α. Σχηματισμός Απλής Υποτακτικής – Ρήματα Γ3 & Γ4 (-ηθώ)

Τα περισσότερα ρήματα Γ3 & Γ4 έχουν Απλή Υποτακτική σε **-ηθώ**. Όσα από αυτά έχουν και ενεργητικό τύπο σχηματίζουν Απλή Υποτακτική Ενεργητικής Φωνής σε **-ήσω**.

Ενεστώτας	**Απλή Υποτακτική Ενεργητικής Φωνής**	**Απλή Υποτακτική Παθητικής Φωνής**	
-άω→-ιέμαι -ώ→-ούμαι	-ήσω→	-ηθώ	
αγαπάω-αγαπιέμαι γεννάω-γεννιέμαι απαντάω-απαντιέμαι συναντάω-συναντιέμαι συζητάω-συζητιέμαι χρησιμοποιώ-χρησιμοποιούμαι ταλαιπωρώ-ταλαιπωρούμαι	να αγαπήσω να γεννήσω να απαντήσω να συναντήσω να συζητήσω να χρησιμοποιήσω να ταλαιπωρήσω	να αγαπηθώ να γεννηθώ να απαντηθώ να συναντηθώ να συζητηθώ να χρησιμοποιηθώ να ταλαιπωρηθώ	να αγαπηθώ να αγαπηθείς να αγαπηθεί να αγαπηθούμε να αγαπηθείτε να αγαπηθούν(ε)
Ρήματα μόνο με Παθητική Φωνή			
- χασμουριέμαι - αρνούμαι - ασχολούμαι - διηγούμαι - συνεννοούμαι	- - - - -	να χασμουρηθώ να αρνηθώ να ασχοληθώ να διηγηθώ να συνεννοηθώ	

Β. Σχηματισμός Απλής Υποτακτικής – Ρήματα Γ3 & Γ4 (-εθώ/-εστώ)

Κάποια από τα ρήματα Γ3 και Γ4 έχουν Απλή Υποτακτική σε -εθώ και -εστώ. Όσα από αυτά έχουν και ενεργητικό τύπο σχηματίζουν Απλή Υποτακτική Ενεργητικής Φωνής σε -έσω.

Ενεστώτας	**Απλή Υποτακτική Ενεργητικής Φωνής**	**Απλή Υποτακτική Παθητικής Φωνής**		
-άω→-ιέμαι -ώ→-ούμαι	-έσω→	-εθώ -εστώ		
- βαριέμαι - παραπονιέμαι εξαιρώ-εξαιρούμαι επαινώ-επαινούμαι καλώ-καλούμαι	- - να εξαιρέσω να επαινέσω να καλέσω	να βαρεθώ να παραπονεθώ να εξαιρεθώ να επαινεθώ να καλεστώ	να βαρεθώ να βαρεθείς να βαρεθεί να βαρεθούμε να βαρεθείτε να βαρεθούν(ε)	να καλεστώ να καλεστείς να καλεστεί να καλεστούμε να καλεστείτε να καλεστούν(ε)

Γ. Σχηματισμός Απλής Υποτακτικής – Ρήματα Γ3 & Γ4 (-αστώ)

Κάποια ρήματα έχουν Απλή Υποτακτική σε **-αστώ**. Όσα από αυτά έχουν και ενεργητικό τύπο σχηματίζου Απλή Υποτακτική Ενεργητικής Φωνής σε **-άσω**.

Ενεστώτας	**Απλή Υποτακτική Ενεργητικής Φωνής**	**Απλή Υποτακτική Παθητικής Φωνής**	
-άω→-ιέμαι **-ώ→-ούμαι**	**-άσω→**	**-αστώ**	να γελ**αστώ** να γελ**αστείς** να γελ**αστεί** να γελ**αστούμε** να γελ**αστείτε** να γελ**αστούν(ε)**
γελάω-γελιέμαι περνάω-περνιέμαι ξεχνάω-ξεχνιέμαι	να γελ**άσω** (να περνάσω) να περ**άσω** (να ξεχνάσω) να ξεχ**άσω**	να γελ**αστώ** να περ**αστώ** να ξεχ**αστώ**	

Δ. Σχηματισμός Απλής Υποτακτικής – Ρήματα Γ3 & Γ4 (-αχτώ)

Λίγα ρήματα έχουν Απλή Υποτακτική σε **-αχτώ**. Όσα από αυτά έχουν και ενεργητικό τύπο σχηματίζουν Απλή Υποτακτική Ενεργητικής Φωνής σε **-άξω**.

Ενεστώτας	**Απλή Υποτακτική Ενεργητικής Φωνής**	**Απλή Υποτακτική Παθητικής Φωνής**	
-άω→-ιέμαι **-ώ→-ούμαι**	**-άξω→**	**-αχτώ**	να κοιτ**αχτώ** να κοιτ**αχτείς** να κοιτ**αχτεί** να κοιτ**αχτούμε** να κοιτ**αχτείτε** να κοιτ**αχτούν(ε)**
κοιτάω-κοιτιέμαι πετάω-πετιέμαι	να κοιτ**άξω** να πετ**άξω**	να κοιτ**αχτώ** να πετ**αχτώ**	

Ε. Σχηματισμός Απλής Υποτακτικής – Ρήματα Γ3 & Γ4 (-ηχτώ)

Τέλος, υπάρχουν και κάποια ρήματα που έχουν Απλή Υποτακτική σε **-ηχτώ**. Όσα από αυτά έχουν και ενεργητικό τύπο σχηματίζουν Απλή Υποτακτική Ενεργητικής Φωνής σε **-ήξω**.

Ενεστώτας	**Απλή Υποτακτική Ενεργητικής Φωνής**	**Απλή Υποτακτική Παθητικής Φωνής**	
-άω→-ιέμαι **-ώ→-ούμαι**	**-ήξω→**	**-ηχτώ**	να τραβ**ηχτώ** να τραβ**ηχτείς** να τραβ**ηχτεί** να τραβ**ηχτούμε** να τραβ**ηχτείτε** να τραβ**ηχτούν(ε)**
τραβάω-τραβιέμαι	να τραβ**ήξω**	να τραβ**ηχτώ**	

Λέω ***να συναντηθούμε*** *αύριο, γιατί σήμερα είμαι κουρασμένος.*

Ευτυχώς που ήρθες γιατί κόντεψα ***να βαρεθώ*** *μόνη μου.*

Λέμε ***να πεταχτούμε*** *μέχρι το σούπερ μάρκετ για παγωτά.*

6.3.3 Βασικές χρήσεις της Υποτακτικής

Χρήσεις Υποτακτικής σε Δευτερεύουσες Προτάσεις			
Απλή σύνδεση	**να/να μην**	*Θέλω **να φάω** κάτι.*	👁→ 174-176
Ενδοιαστική Πρόταση	**μήπως, μην**	*Φοβάμαι **μήπως χάσω** τη δουλειά μου.*	👁→ 177
Χρόνος	**όταν, πριν, μόλις, αφού** κ.ά	***Μόλις έρθεις**, θα φάμε.*	👁→ 184
Υπόθεση	**αν/εάν**	***Αν έρθεις** νωρίς, θα μαγειρέψω κάτι.*	👁→ 186
Παραχώρηση	**κι αν/και να**	*Και **να ζητήσει** συγγνώμη, δεν θα τον συγχωρέσω.*	👁→ 183
Σκοπός	**για να**	*Μαθαίνω Ελληνικά, **για να βρω** μια καλή δουλειά.*	👁→ 181
Ελεύθερη Αναφορά	**όποιος, ό,τι, όσο, όπως, όπου, όποτε**	***Θα** φάμε **όποτε έρθεις**.*	👁→ 192
Χρήσεις Υποτακτικής σε Κύριες Προτάσεις			
Προσταγή	**να**	***Να φύγεις** αμέσως!*	
Απαγόρευση	**μην**	***Μην φύγεις**! Περίμενε.*	
Ερώτηση	**να**	***Να** την **πάρω** τηλέφωνο;*	
Παραχώρηση	**ας**	***Ας πάμε** σινεμά, αφού το θέλεις τόσο.*	
Πιθανότητα	**πιθανόν να, ίσως**	***Ίσως έρθω** κι εγώ στο θέατρο.*	
Ευχή	**μακάρι να**	***Μακάρι να έρθεις** μαζί μας.*	👁→ 156

6.4 ΠΡΟΣΤΑΚΤΙΚΗ

*Χρησιμοποιώ Προστακτική, όταν θέλω να πω σε κάποιον να κάνει κάτι (**εντολή** ή **προσταγή** ή **παράκληση**) ή να μην κάνει κάτι (**απαγόρευση**). Η Προστακτική έχει μόνο δύο πρόσωπα: το β΄ ενικό (**εσύ**) και το β΄ πληθυντικό (**εσείς**).*

Άνοιξε *το παράθυρο. Κάνει πολλή ζέστη.*

Έλα *από το σπίτι μου απόψε.*

Μην μιλάτε *την ώρα του μαθήματος.*

6.4.1 Ενεργητική Φωνή

6.4.1.1 Συνεχής Προστακτική Ενεργητικής Φωνής

Χρησιμοποιώ τη Συνεχή Προστακτική,
για να πω σε κάποιον να κάνει ή να μην κάνει κάτι:
- *συνέχεια*
- *σε επανάληψη*

	Ενεστώτας	**Συνεχής Προστακτική**	**Απαγόρευση (να) μην + Υποτακτική**
Ρήματα Α (-ω)	διαβάζω	διάβαζε διαβάζετε	(να) μην διαβάζεις (να) μην διαβάζετε
Ρήματα Β1 (-άω/-ώ)	αγαπάω	αγάπα αγαπάτε	(να) μην αγαπάς (να) μην αγαπάτε
Ρήματα Β2 (-ώ)	οδηγώ	**να οδηγείς** οδηγείτε	(να) μην οδηγείς (να) μην οδηγείτε

Αγάπα *τον φίλο σου με τα ελαττώματά του.*

Παίρνε *με τηλέφωνο κάθε βράδυ μετά τις 9.*

Όταν πίνετε, **μην οδηγείτε**.

- Η Προστακτική (Συνεχής και Απλή) δεν έχει αρνητικό τύπο. Όταν θέλω να φτιάξω την **απαγόρευση**, παίρνω τους αντίστοιχους τύπους από τη Συνεχή Υποτακτική (**να μην οδηγείς – να μην οδηγείτε**).
- Η άρνηση στην Προστακτική είναι το «**μην**».
- Τα Β2 ρήματα στο β΄ ενικό (**εσύ**) δεν έχουν κανονικό τύπο. Γι΄ αυτό τον λόγο χρησιμοποιώ τον τύπο από τη Συνεχή Υποτακτική (**να οδηγείς**).

6.4.1.2 Απλή Προστακτική Ενεργητικής Φωνής

Χρησιμοποιώ την Απλή Προστακτική
για να πω σε κάποιον να κάνει ή να μην κάνει κάτι μία φορά.

	Ενεστώτας	**Απλός Μέλλοντας**	**Προστακτική**	**Απαγόρευση (να) μην + Υποτακτική**
Ρήματα Α (-ω)	διαβάζω	~~θα~~ διαβάσ~~ω~~	διάβασ**ε** διαβάσ**τε**	(να) μην διαβάσεις (να) μην διαβάσετε
Ρήματα Β1 (-άω/-ώ)	αγαπάω	~~θα~~ αγαπήσ~~ω~~	αγάπησ**ε** αγαπήσ**τε**	(να) μην αγαπήσεις (να) μην αγαπήσετε
Ρήματα Β2 (-ώ)	οδηγώ	~~θα~~ οδηγήσ~~ω~~	οδήγησ**ε** οδηγήσ**τε**	(να) μην οδηγήσεις (να) μην οδηγήσετε

Διαβάστε *τις οδηγίες χρήσης της τηλεόρασης.*

Αγάπησε *τον εαυτό σου και* **πίστεψε** *στην προσπάθειά σου.*

Αγόρασέ *μου ένα μπουκάλι γάλα από το σούπερ μάρκετ.*

Όταν το ρήμα στην Απλή Προστακτική έχει δύο συλλαβές ο τόνος μπαίνει πάντα στη 2η συλλαβή από το τέλος.

*γράφω → γρ**ά**ψε-γρ**ά**ψτε*

Όταν το ρήμα στην Απλή Προστακτική έχει τρεις ή περισσότερες συλλαβές, τότε στον ενικό αριθμό (εσύ) ο τόνος μπαίνει στη 3η συλλαβή από το τέλος και στον πληθυντικό αριθμό (εσείς) μπαίνει στη 2η συλλαβή από το τέλος.

*διαβάζω → δι**ά**βασε-διαβ**ά**στε*

Απλή Προστακτική - Ανώμαλα Ρήματα

Α. Ρήματα με Απλή Προστακτική σε -ε, -τε

Τα περισσότερα ρήματα Α στην Προστακτική έχουν καταλήξεις **-ε, -τε**.

Ρήματα Α & ΑΒ	**Απλός Μέλλοντας**	**Προστακτική**	**Απαγόρευση**
ακούω	~~θα~~ ακούσ~~ω~~	άκουσ**ε** – ακούσ**τε**	(να) μην ακούσεις – (να) μην ακούσετε
βάζω	~~θα~~ βάλ~~ω~~	βάλ**ε** – βάλ**τε**	(να) μην βάλεις – (να) μην βάλετε
βγάζω	~~θα~~ βγάλ~~ω~~	βγάλ**ε** – βγάλ**τε**	(να) μην βγάλεις – (να) μην βγάλετε
δίνω	~~θα~~ δώσ~~ω~~	δώσ**ε** – δώσ**τε**	(να) μην δώσεις – (να) μην δώσετε
παίρνω	~~θα~~ πάρ~~ω~~	πάρ**ε** – πάρ**τε**	(να) μην πάρεις – (να) μην πάρετε
πέφτω	~~θα~~ πέσ~~ω~~	πέσ**ε** – **πέστε**	(να) μην πέσεις – (να) μην πέσετε
στέλνω	~~θα~~ στείλ~~ω~~	στείλ**ε** – στείλ**τε**	(να) μην στείλεις – (να) μην στείλετε
τρώω	~~θα~~ φά~~ω~~	φά**ε** – φά**τε**	(να) μην φας – (να) μην φάτε
φέρνω	~~θα~~ φέρ~~ω~~	φέρ**ε** – φέρ**τε**	(να) μην φέρεις – (να) μην φέρετε

Για να φτιάξω την **απαγόρευση**, παίρνω τους αντίστοιχους τύπους από την Απλή Υποτακτική.

Β. Ρήματα με Απλή Προστακτική σε -ε, -ετε

Τα ρήματα αυτά έχουν πριν από την κατάληξη τα γράμματα **β, γ, θ, ν.**

Ρήματα Α	**Απλός Μέλλοντας**	**Προστακτική**	**Απαγόρευση**
γίνομαι	θα γί**ν**ω	γίν**ε** – γίν**ετε**	(να) μην γίνεις – (να) μην γίνετε
κάνω	θα κά**ν**ω	κάν**ε** – κάν**ετε**/κάν**τε**	(να) μην κάνεις – (να) μην κάνετε
καταλαβαίνω	θα καταλά**β**ω	κατάλαβ**ε** – καταλάβ**ετε**	(να) μην καταλάβεις – (να) μην καταλάβετε
μαθαίνω	θα μά**θ**ω	μάθ**ε** – μάθ**ετε**	(να) μην μάθεις – (να) μην μάθετε
μένω	θα μεί**ν**ω	μείν**ε** – μείν**ετε**	(να) μην μείνεις – (να) μην μείνετε
περιμένω	θα περιμέ**ν**ω	περίμεν**ε** – περιμέν**ετε**/ περιμέν**τε**	(να) μην περιμένεις – (να) μην περιμένετε
πηγαίνω/πάω	θα πάω	πήγαιν**ε** – πηγαίν**ετε**	(να) μην πας – (να) μην πάτε
πλένω	θα πλύ**ν**ω	πλύν**ε** – πλύν**ετε**/πλύν**τε**	(να) μην πλύνεις – (να) μην πλύνετε
φεύγω	θα φύ**γ**ω	φύγ**ε** – φύγ**ετε**	(να) μην φύγεις – (να) μην φύγετε

Για να φτιάξω την **απαγόρευση**, παίρνω τους αντίστοιχους τύπους από την Απλή Υποτακτική.

Γ. Ρήματα με Απλή Προστακτική σε -ες, -είτε

Ρήματα Α & ΑΒ	**Απλός Μέλλοντας**	**Προστακτική**	**Απαγόρευση**
βλέπω	~~θα~~ δω	δες – δείτε/δέστε	(να) μην δεις – (να) μην δείτε
βρίσκω	~~θα~~ βρω	βρες – βρείτε/βρέστε	(να) μην βρεις – (να) μην βρείτε
λέω	~~θα~~ πω	πες – πείτε/πέστε	(να) μην πεις – (να) μην πείτε
πίνω	~~θα~~ πιω	πιες – πιείτε/πιέστε	(να) μην πιεις – (να) μην πιείτε
βγαίνω	~~θα~~ βγω	βγες – βγείτε/βγέστε	(να) μην βγεις – (να) μην βγείτε
μπαίνω	~~θα~~ μπω	μπες – μπείτε/μπέστε	(να) μην μπεις – (να) μην μπείτε

Για να φτιάξω την **απαγόρευση**, παίρνω τους αντίστοιχους τύπους από την Απλή Υποτακτική.

Δ. Ρήματα με Απλή Προστακτική σε -α, -είτε

Ρήματα Α	**ΑπλόςΜέλλοντας**	**Προστακτική**	**Απαγόρευση**
ανεβαίνω	~~θα~~ ανέβω	ανέβα – ανεβείτε	(να) μην ανέβεις – (να) μην ανεβείτε
κατεβαίνω	~~θα~~ κατέβω	κατέβα – κατεβείτε	(να) μην κατέβεις – (να) μην κατεβείτε

Βάλε *μου ένα ποτήρι κρασί.*

Μείνετε *λίγο ακόμα, σας παρακαλώ.*

Για να φτιάξω την **απαγόρευση**, παίρνω τους αντίστοιχους τύπους από την Απλή Υποτακτική.

Μην πεις *τίποτα, δεν χρειάζεται.*

Μην κατεβείτε *πριν σας χτυπήσω το κουδούνι.*

⚠ Τα ρήματα «πέφτω» και «λέω», όπως φαίνεται και στους πίνακες, έχουν ίδιο β΄ πληθυντικό Απλής Προστακτικής.

- πέφτω → πέστε
- λέω → πέστε (αλλά και πείτε)

Τα ρήματα «δένω» και «βλέπω» έχουν ίδιο β΄ πληθυντικό Απλής Προστακτικής.

- δένω → δέστε
- βλέπω → δέστε (αλλά και δείτε)

⚠ Σε κάποια ρήματα μπορώ να χρησιμοποιήσω τη Συνεχή Προστακτική και για κάτι που πρέπει να γίνει μια φορά (δηλαδή ως Απλή Προστακτική).

Ρήματα Β1 (-άω/-ώ)	ρωτάω κοιτάω σταματάω κρατάω μιλάω προχωράω περνάω	ρώτα ή ρώτησε κοίτα ή κοίταξε σταμάτα ή σταμάτησε κράτα ή κράτησε μίλα ή μίλησε προχώρα ή προχώρησε πέρνα ή πέρασε
Ρήματα Α (-ω)	προσέχω	πρόσεχε ή πρόσεξε
Ρήματα ΑΒ	λέω τρώω	λέγε ή πες τρώγε ή φάε

Πρόσεχε, *θα τρακάρουμε! (= Πρόσεξε τώρα.)*

Κοίτα *κίνηση στον δρόμο, δεν θα φτάσουμε ποτέ! (= Κοίταξε τώρα.)*

Πέρνα *από το σπίτι, σε παρακαλώ! Θέλω να σου μιλήσω. (= Πέρασε τώρα/σήμερα.)*

Τρώγε *τη σαλάτα σου και άσε την πίτσα. (= Φάε τη σαλάτα σου.)*

Λέγε, *σε ακούω! (= Πες τώρα τι θέλεις.)*

Αν έχεις απορία, **ρώτα** *με!*
(= Ρώτησέ με τώρα, μία φορά.) ή (= Κάθε φορά που έχεις απορία, ρώτα με.)

6.4.2 Παθητική Φωνή

6.4.2.1 Συνεχής Προστακτική Παθητικής Φωνής

Η χρήση είναι ίδια με αυτή της Συνεχούς Προστακτικής Ενεργητικής Φωνής. *(👁→148)*

Φτιάχνω τη Συνεχή Προστακτική στην Παθητική Φωνή με τους αντίστοιχους τύπους από τη Συνεχή Υποτακτική.

Ρήματα Γ1	Ενεστώτας	Συνεχής Προστακτική	Απαγόρευση
-ομαι	κλείνομαι	να κλείνεσαι – να κλείνεστε	(να) μην κλείνεσαι – (να) μην κλείνεστε

6.6 ΔΥΝΗΤΙΚΗ

Χρησιμοποιώ την Δυνητική, όταν θέλω:
- *να δείξω ευγένεια.*
- *να μιλήσω για κάτι που είναι πιθανό.*

Επίσης τη συναντάω στους Υποθετικούς Λόγους. (👁→186)

Στη Δυνητική ο Παρατατικός και ο Υπερσυντέλικος δηλώνουν κυρίως την πιθανότητα ή την ευγένεια και χάνουν τη χρονική τους σημασία.

Σχηματισμός Δυνητικής	**Δείχνει...**	**Παράδειγμα**
θα + Παρατατικός	ευγένεια	***Θα ήθελα*** *λίγο νερό.* ***Θα μπορούσα*** *να μιλήσω με τον κύριο Αρβανιτάκη;*
	πιθανότητα	***Θα ερχόμουν*** *αύριο, αλλά τελικά θα δουλεύω.*
θα + Υπερσυντέλικος	πιθανότητα (συγκεκριμένα δείχνει το αδύνατο στο παρελθόν)	*Αν δεν είχαμε πάει για παγωτό,* ***θα είχαμε τελειώσει*** *το διάβασμα.* *(Τώρα δεν μπορεί να αλλάξει κάτι, γιατί πήγαμε για παγωτό και δεν διαβάσαμε.)*

6.7 ΤΑ ΡΗΜΑΤΑ ΑΒ

6.7.1 Ενεργητική Φωνή (ΑΒ)

Τα ρήματα που ανήκουν στην κατηγορία ΑΒ είναι εφτά:
λέω, πάω, ακούω, τρώω, κλαίω, καίω, φταίω.

Χρόνοι των Ρημάτων ΑΒ

Τα ρήματα ΑΒ έχουν δικές τους καταλήξεις στον Ενεστώτα, όπως φαίνεται στον παρακάτω πίνακα.

Σχηματισμός Ενεστώτα Ρημάτων ΑΒ

Ενεστώτας Ρήματα ΑΒ							
λέω λες λέει λέμε λέτε λένε	πάω πας πάει πάμε πάτε πάνε	ακούω ακούς ακούει ακούμε ακούτε ακούν(ε)	τρώω τρως τρώει τρώμε τρώτε τρώνε	κλαίω κλαις κλαίει κλαίμε κλαίτε κλαίνε	καίω καις καίει καίμε καίτε καίνε	φταίω φταις φταίει φταίμε φταίτε φταίνε	-ω -ς -ει -με -τε -νε

Σχηματισμός Παρατατικού Ρημάτων ΑΒ

Ο Παρατατικός των ΑΒ σχηματίζεται βάζοντας ένα «γ» πριν τις κανονικές καταλήξεις του Παρατατικού. Αυτό δεν ισχύει για το ρήμα **πηγαίνω**.

Παρατατικός - Ρήματα ΑΒ						
έλε**γ**α	πήγαινα	άκου**γ**α	έτρω**γ**α	έκλαι**γ**α	έκαι**γ**α	έφται**γ**α

Οι υπόλοιποι χρόνοι των ρημάτων ΑΒ

Συνεχής Μέλλοντας	θα λέω	θα πηγαίνω	θα ακούω	θα τρώω	θα κλαίω	θα καίω	θα φταίω
Απλός Μέλλοντας	θα πω	θα πάω	θα ακούσω	θα φάω	θα κλάψω	θα κάψω	θα φταίξω
Αόριστος	είπα	πήγα	άκουσα	έφαγα	έκλαψα	έκαψα	έφταιξα
Παρακείμενος	έχω πει	έχω πάει	έχω ακούσει	έχω φάει	έχω κλάψει	έχω κάψει	έχω φταίξει
Υπερσυντέλικος	είχα πει	είχα πάει	είχα ακούσει	είχα φάει	είχα κλάψει	είχα κάψει	είχα φταίξει
Συντελεσμένος Μέλλοντας	θα έχω πει	θα έχω πάει	θα έχω ακούσει	θα έχω φάει	θα έχω κλάψει	θα έχω κάψει	θα έχω φταίξει

Εγκλίσεις των Ρημάτων ΑΒ

Συνεχής Υποτακτική	να λέω	να πηγαίνω	να ακούω	να τρώω	να κλαίω	να καίω	να φταίω
Απλή Υποτακτική	να πω	να πάω	να ακούσω	να φάω	να κλάψω	να κάψω	να φταίξω
Συνεχής Προστακτική	λέγε λέγετε	πήγαινε πηγαίνετε	άκουγε ακούτε	τρώγε τρώγετε	κλαίγε -	καίγε καίγετε	– –
Απλή Προστακτική	πες πείτε	πήγαινε πηγαίν(ε)τε	άκουσε ακούστε	φάε φάτε	κλάψε κλάψτε	κάψε κάψτε	– –

6.7.2 Παθητική Φωνή (ΑΒ → Γ1)

Τα ρήματα ΑΒ στην Παθητική φωνή κλίνονται όπως τα Γ1 (👁→110).
Μονο πέντε ρήματα ΑΒ έχουν Παθητική Φωνή. Όλα έχουν ένα «γ» πριν το **-ομαι**:
λέ**γ**ομαι, ακού**γ**ομαι, τρώ**γ**ομαι, κλαί**γ**ομαι, καί**γ**ομαι.
Τα «πάω» και «φταίω» δεν έχουν παθητική φωνή.

Κεφάλαιο 7: Η Μετοχή

Οι Μετοχές είναι λέξεις που βγαίνουν από ρήματα και συνδυάζουν χαρακτηριστικά ρήματος (χρόνος, διάθεση) και επιθέτου (γένος, αριθμός, πτώση). Είναι ενεργητικές ή παθητικές. Οι ενεργητικές δεν κλίνονται. Οι παθητικές κλίνονται σαν επίθετα. Παίρνουν άρνηση «μην».

7.1 ΕΝΕΡΓΗΤΙΚΗ ΜΕΤΟΧΗ: -οντας/-ώντας

Δεν κλίνεται και βγαίνει από τη ρίζα του Ενεστώτα.

Σχηματισμός Ενεργητικής Μετοχής

Ρήματα Α: ρίζα Ενεστώτα + -οντας
διαβάζ-ω → διαβάζ-οντας

Ρήματα Β1/Β2: ρίζα Ενεστώτα + -ώντας
ρωτ-άω/ώ → ρωτ-ώντας
οδηγ-ώ → οδηγ-ώντας

 -οντας: όταν δεν υπάρχει τόνος.
-ώντας: όταν υπάρχει τόνος.
Αλλά: είμαι → όντας

Η Ενεργητική Μετοχή έχει χαρακτηριστικά επιρρήματος, δηλαδή δίνει πληροφορίες για τον χρόνο ή την αιτία ή την υπόθεση ή τον τρόπο. Γι' αυτό τον λόγο μπορεί να αναλύεται σε **δευτερεύουσα πρόταση** ίδιας σημασίας (χρόνος, αιτία, υπόθεση) ή σε **φράση με πρόθεση** (τρόπος).

Χρόνος	***Γυρνώντας*** *σπίτι τον είδα.* ***Μπαίνοντας*** *μέσα σε κοίταξα.*	=	***Ενώ γυρνούσα*** *σπίτι, τον είδα.* ***Όταν μπήκα*** *μέσα, σε κοίταξα.*
Αιτία	*Μην* ***έχοντας*** *χρήματα ζήτησε δάνειο.*	=	***Επειδή*** *δεν* ***είχε*** *χρήματα, ζήτησε δάνειο.*
Υπόθεση	***Κάνοντας*** *μαθήματα γαλλικών θα μιλάς καλύτερα σε λίγο καιρό.*	=	***Αν κάνεις*** *μαθήματα γαλλικών, θα μιλάς καλύτερα σε λίγο καιρό.*
Τρόπος	*Περάσαμε το βράδυ* ***διαβάζοντας****.*	=	*Πέρασαμε το βράδυ* ***με διάβασμα****.* *Πέρασαμε το βράδυ* ***με το να διαβάζουμε****.*

Η Ενεργητική Μετοχή βγαίνει από τη ρίζα του Ενεστώτα, αλλά η ίδια **δεν** δείχνει χρόνο, πρόσωπο, γένος και αριθμό. Τις πληροφορίες αυτές τις παίρνει από το ρήμα.

 Το υποκείμενο της Μετοχής είναι το ίδιο με το υποκείμενο του ρήματος.

Γυρνώντας σπίτι σε είδα.	=	**Όταν γύρισα** σπίτι σε είδα. ή (πριν, εγώ) **Ενώ γυρνούσα** σπίτι, σε είδα.
Γυρνώντας σπίτι σε βλέπουμε.	=	**Όταν/ενώ γυρίζουμε** σπίτι, σε βλέπουμε. (κάθε μέρα / γενικά, εμείς)
Γυρνώντας σπίτι θα με δεις.	=	**Όταν (θα) γυρίσεις** σπίτι, θα με δεις. ή (μετά, εσύ) **Ενώ θα γυρίζεις** σπίτι, θα με δεις.

 λέω - λέγοντας
πάω - πηγαίνοντας
ακούω - ακούγοντας
τρώω - τρώγοντας
κλαίω - κλαίγοντας
καίω - καίγοντας
σπάω - σπά**ζ**οντας

7.2 ΠΑΘΗΤΙΚΗ ΜΕΤΟΧΗ: -μενος/-μενη/-μενο

Κλίνεται όπως τα επίθετα Ε1 (-ος -η -ο) και μπορεί να παίρνει άρθρο.

τα **πλυμένα** *ρούχα*

Η Μετοχή Ενεστώτα βγαίνει από τη ρίζα του Ενεστώτα. Δηλώνει αυτόν-ή-ό που κάνει ή παθαίνει αυτό που σημαίνει το ρήμα.

ο εργαζόμενος = *αυτός που εργάζεται*

Η Μετοχή Παρακειμένου σχηματίζει δική της ρίζα ανάλογα με τον Παθητικό Απλό Μέλλοντα (→113). Δηλώνει αυτόν-ή-ό που έχει πάθει ό,τι σημαίνει το ρήμα.

ο πλυμένος = *αυτός που έχει πλυθεί*

Η Παθητική Μετοχή μπορεί να αναλυθεί σε επίθετο ή ουσιαστικό αλλά και σε δευτερεύουσα πρόταση.

Οι **εξεταζόμενοι** *φοιτητές έχουν πολύ άγχος.*
=**Οι φοιτητές που εξετάζονται** έχουν πολύ άγχος.

Ερχόμενος *από τη δουλειά, συνάντησα τη Μαρία.*
=**Ενώ ερχόμουν** *από τη δουλειά, συνάντησα τη Μαρία.*

 Δεν σχηματίζουν όλα τα ρήματα παθητική μετοχή.

7.2.1 Μετοχή Παθητικού Ενεστώτα

Σχηματισμός Μετοχής Παθητικού Ενεστώτα

Ρήματα Γ1: ρίζα Ενεστώτα + όμενος-όμενη-όμενο
εργάζ-ομαι → εργαζ-όμενος-η-ο

Ρήματα Γ2: ρίζα Ενεστώτα + ούμενος-ούμενη-ούμενο
φοβ-άμαι → φοβ-ούμενος-η-ο
λυπ-άμαι → λυπ-ούμενος-η-ο
θυμ-άμαι → (εν)θυμ-ούμενος-η-ο

Αλλά: κοιμ-άμαι → κοιμ-**ώμενος-ώμενη-ώμενο**

Ρήματα Γ3/Γ4: ρίζα Ενεστώτα + ούμενος-ούμενη-ούμενο
οδηγ-ούμαι → οδηγ-ούμενος-η-ο

Παράδειγμα	**Αναλύεται...**
Οι **εργαζόμενοι** έχουν δικαιώματα και υποχρεώσεις.	Αυτοί που εργάζονται έχουν δικαιώματα και υποχρεώσεις.
Φοβούμενος ότι δεν θα γράψει καλά, δεν πήγε στις εξετάσεις.	Επειδή φοβήθηκε ότι δεν θα γράψει καλά, δεν πήγε στις εξετάσεις.

7.2.2 Μετοχή Παθητικού Παρακειμένου

Σχηματισμός Μετοχής Παθητικού Παρακειμένου

Για να φτιάξω την Μετοχή Παθητικού Παρακειμένου:

- βρίσκω τον τύπο του Απλού Μέλλοντα Παθητικής Φωνής.
- αλλάζω τα δύο/τρία/τέσσερα τελευταία γράμματα με τις καταλήξεις -μένος/-σμένος/-γμένος κ.ά., όπως φαίνεται στον παρακάτω πίνακα.

*κουράζομαι→ θα κουρα-~~στώ~~→ κουρα-**σμένος-η-ο***

Ρίζα + -μένος -η -ο

	Παθητικός Ενεστώτας	**Παθητικός Μέλλοντας**	**Μετοχή Παθητικού Παρακειμένου**
Γ1 (-ομαι)	ντύνομαι κλείνομαι ανοίγομαι βάφομαι παντρεύομαι	θα ντυ-**θώ** θα κλει-**στώ** θα ανοι-**χτώ** θα βα-**φτώ** θα παντρ-**ευτώ**	ντυ-**μένος-η-ο** κλει-**σμένος-η-ο** ανοι-**γμένος-η-ο** βα-**μμένος-η-ο** παντρ-**εμένος-η-ο**
Γ2 (-άμαι)	λυπάμαι κοιμάμαι φοβάμαι θυμάμαι	θα λυπ-**ηθώ** θα κοιμ-**ηθώ** θα φοβ-**ηθώ** θα θυμ-**ηθώ**	λυπ-**ημένος-η-ο** κοιμ-**ισμένος-η-ο** φοβ-**ισμένος-η-ο** –
Γ3 (-ιέμαι)	γεννιέμαι φοριέμαι κρεμιέμαι πετιέμαι τραβιέμαι	θα γενν-**ηθώ** θα φορ-**εθώ** θα κρεμ-**αστώ** θα πετ-**αχτώ** θα τραβ-**ηχτώ**	γενν-**ημένος-η-ο** φορ-**εμένος-η-ο** κρεμ-**ασμένος-η-ο** πετ-**αγμένος-η-ο** τραβ-**ηγμένος-η-ο**
Γ4 (-ούμαι)	οδηγούμαι εξαιρούμαι καλούμαι	θα οδηγ-**ηθώ** θα εξαιρ-**εθώ** θα καλ-**εστώ**	οδηγ-**ημένος-η-ο** εξαιρ-**εμένος-η-ο** καλ-**εσμένος-η-ο**

Δεν είμαι **καλεσμένος** *στο πάρτι του Αντώνη.*

Σήμερα στην τάξη φαίνονταν όλοι **κοιμισμένοι**.

Κλεισμένη *μέσα στο σπίτι όλη μέρα βαρέθηκα.*

Κάποια ρήματα που τελειώνουν σε **-εύομαι** και συχνά στον Ενεργητικό Απλό Μέλλοντα τελειώνουν σε **-εύσω** έχουν παθητική μετοχή σε **-ευμένος**. Το ίδιο ισχύει και για τη λέξη **ερωτευμένος-η-ο**.

εκπαιδ**εύω** → θα εκπαιδ**εύσω**
εκπαιδ**εύομαι** → θα εκπαιδ**ευτώ** → εκπαιδ**ευμένος-η-ο**

δημοσι**εύω** → θα δημοσι**εύσω**
δημοσι**εύομαι** → θα δημοσι**ευτώ** → δημοσι**ευμένος-η-ο**

Ανώμαλος σχηματισμός ρίζας + -μένος-η-ο

Παθητικός Ενεστώτας	**Παθητικός Μέλλοντας**	**Μετοχή Παθητικού Παρακειμένου**
απομακρύνομαι	θα απομακρυνθώ	απομακρυσμένος-η-ο
αυξάνομαι	θα αυξηθώ	αυξημένος-η-ο
αφαιρούμαι	θα αφαιρεθώ	αφηρημένος-η-ο
αφήνομαι	θα αφεθώ	αφημένος-η-ο
βρέχομαι	θα βραχώ	βρε(γ)μένος-η-ο
δίνομαι	θα δ**ο**θώ	δοσμένος-η-ο
κάθομαι	θα καθίσω/κάτσω	καθισμένος-η-ο
καίγομαι	θα καώ	καμένος-η-ο
κλαίγομαι	θα κλαφτώ	κλαμένος-η-ο
καταστρέφομαι	θα καταστραφώ	κατεστρα**μμ**ένος-η-ο
λέγομαι	θα ειπωθώ/λεχθώ	ειπωμένος-η-ο
μολύνομαι	θα μολυνθώ	μολυσμένος-η-ο
πλένομαι	θα πλυθώ	πλυμένος-η-ο
στέλνομαι	θα σταλθώ	σταλμένος-η-ο
τρώγομαι	θα φαγωθώ	φαγωμένος-η-ο
κοιμάμαι (Γ2)	θα κοιμηθώ	κοιμισμένος-η-ο
φοβάμαι (Γ2)	θα φοβηθώ	φοβισμένος-η-ο

Μην εισαι ***αφηρημένος*** *στο μάθημα.*

Οι τιμές είναι ***αυξημένες*** *τελευταία.*

Το συνεργείο επισκεύασε το ***κατεστραμμένο*** *αυτοκίνητο.*

Παθητική Μετοχή ενεργητικών ρημάτων που δεν έχουν παθητική φωνή

Ενεργητικός Ενεστώτας	Μετοχή Παθητικού Παρακειμένου
αδυνατίζω	αδυνατισμένος-η-ο
αγανακτώ	αγανακτισμένος-η-ο
ακουμπώ	ακουμπισμένος-η-ο
ανεβαίνω/ανεβάζω	ανεβασμένος-η-ο
ανθίζω	ανθισμένος-η-ο
γερνάω	γερασμένος-η-ο
δακρύζω	δακρυσμένος-η-ο
διψάω	διψασμένος-η-ο
δυστυχώ	δυστυχισμένος-η-ο
ευτυχώ	ευτυχισμένος-η-ο
κατεβαίνω/κατεβάζω	κατεβασμένος-η-ο
λαχανιάζω	λαχανιασμένος-η-ο
μεθάω	μεθυσμένος-η-ο
ξενυχτάω	ξενυχτισμένος-η-ο
πέφτω	πεσμένος-η-ο
συννεφιάζω	συννεφιασμένος-η-ο
πεινάω	πεινασμένος-η-ο
απορώ	απορημένος-η-ο
αρρωσταίνω	αρρωστημένος-η-ο
αργοπορώ	αργοπορημένος-η-ο
πετυχαίνω	πετυχημένος-η-ο
σταματάω	σταματημένος-η-ο
βάζω	βαλμένος-η-ο
βγάζω	βγαλμένος-η-ο
θυμώνω	θυμωμένος-η-ο
κάνω	καμωμένος-η-ο
κρυώνω	κρυωμένος-η-ο
παγώνω	παγωμένος-η-ο
τελειώνω	τελειωμένος-η-ο
νυστάζω	νυσταγμένος-η-ο
τρομάζω	τρομαγμένος-η-ο
πεθαίνω	πεθαμένος-η-ο
πονάω	πονεμένος-η-ο
ταξιδεύω	ταξιδεμένος-η-ο

Είμαστε πολύ ***πεινασμένοι****, βάλε κάτι να φάμε.*

Έρχεται πάντα ***αργοπορημένη*** *στη δουλειά.*

Είναι πολύ ***θυμωμένος*** *μαζί μου και δεν μου μιλάει.*

Όταν η παθητική μετοχή συνδυάζεται με το ρήμα «είμαι», τότε έχει την ίδια λειτουργία με τον **Παρακείμενο**, τον **Υπερσυντέλικο** και τον **Συντελεσμένο Μέλλοντα** Παθητικής Φωνής.

Στη θέση των μετοχών των ρημάτων μπορώ να χρησιμοποιήσω τον Παρακείμενο, τον Υπερσυντέλικο και τον Συντελεσμένο Μέλλοντα Παθητικής Φωνής.

είμαι ντυμένος	=	έχω ντυθεί
ήμουν ντυμένος	=	είχα ντυθεί
θα είμαι ντυμένος	=	θα έχω ντυθεί

Αλλά

Οι μετοχές ρημάτων χωρίς Παθητική Φωνή (*πεινάω → πεινασμένος*) έχουν την ίδια λειτουργία με τον Παρακείμενο, τον Υπερσυντέλικο και τον Συντελεσμένο Μέλλοντα Ενεργητικής Φωνής.

είμαι πεινασμένος	=	έχω πεινάσει
ήμουν πεινασμένος	=	είχα πεινάσει
θα είμαι πεινασμένος	=	θα έχω πεινάσει

Κεφάλαιο 8: Οι Προθέσεις

Οι προθέσεις είναι μικρές λέξεις που μπαίνουν πριν από άλλες λέξεις ή φράσεις και εκφράζουν διάφορες σημασίες (χρόνο, τόπο, μέσο κ.ά.). Δεν κλίνονται.

Το ουσιαστικό, το επίθετο ή η αντωνυμία που ακολουθεί βρίσκεται συνήθως σε Αιτιατική, πιο σπάνια σε Γενική ή και στις δύο πτώσεις (με διαφορά ή όχι στη σημασία). Μπορούν να συνδυάζονται με επίρρημα (π.χ. πάνω σε), με άλλη πρόθεση (π.χ. αντί για) ή με ρήμα (π.χ. αντί να φύγω).

8.1 ΠΡΟΘΕΣΕΙΣ + ΑΙΤΙΑΤΙΚΗ

Πρόθεση	Δηλώνει	Παράδειγμα
σε*	στάση σε τόπο προορισμό χρόνο κ.ά.	*Μένω **στ**ην Αθήνα.* *Πηγαίνω **στ**ον φούρνο.* *Θα έρθω **στ**ις τρεις ακριβώς.*
από	προέλευση υλικό αφετηρία κ.ά.	*Είμαι **από** την Ελλάδα.* *Η τσάντα μου είναι **από** δέρμα.* *Ξεκινάω **από** το σπίτι μου.*
για	στόχο/προορισμό αναφορά/θέμα διάρκεια κ.ά.	*Το δώρο είναι **για** τη φίλη μου.* *Μιλάμε **για** το θέατρο.* ***Για** μία ώρα να μην με ενοχλήσετε!*
με	συνοδεία όργανο ή μέσο περιεχόμενο κ.ά.	*Έρχομαι **με** τον μπαμπά μου.* *Ταξιδεύω **με** το αεροπλάνο.* *Θέλω το μπουκάλι **με** το κρασί.*
προς	*κατεύθυνση* *χρόνο (περίπου)*	*Πηγαίνω **προς** το κέντρο.* *Θα έρθω **προς** το μεσημέρι.*
ως/έως/μέχρι	*τόπο* *χρόνο*	*Τρέχω **ώς/έως/μέχρι** το τέρμα.* ***Ώς/ Έως/Μέχρι** το βράδυ θα απαντήσω.*
ανά	επανάληψη	*Θα έρχομαι **ανά** 5 λεπτά να βλέπω τι κάνεις.*
μετά	τόπο χρόνο	*Το περίπτερο είναι **μετά** το πάρκο.* *Θα τα πούμε **μετά** τις 5:00.*
πριν	*τόπο* *χρόνο*	*Το σπίτι μου βρίσκεται λίγο **πριν** την πλατεία.* *Θα έρθω **πριν** το μεσημέρι.*

παρά	*χρόνο* *αντίθεση/εναντίωση*	*Γυμνάζομαι μέρα **παρά** μέρα.* *Ήρθα **παρά** τη θέλησή μου.*
χωρίς/δίχως	στέρηση	*Δεν πάω πουθενά **χωρίς/δίχως** τους φίλους μου.*
υπό	κάτω από	*Τα άγρια ζώα είναι **υπό** την προστασία της WWF.*

⚠

σε + τον = **στον**	σε + τους = **στους**
σε + την = **στην**	σε + τις = **στις**
σε + το = **στο**	σε + τα = **στα**

Συνδυασμός: επίρρημα + πρόθεση + Αιτιατική

Επίρρημα + Πρόθεση	Δηλώνει	Παράδειγμα
ανάμεσα σε/(από)... και (σε)... **δίπλα/πλάι σε** **κοντά σε** **μέσα σε**	τόπο	*Βάλε την καρέκλα **ανάμεσα σ**το τραπέζι και (**σ**)τη βιβλιοθήκη.* *Κάθομαι **δίπλα σ**την Άννα.* *Μένω **κοντά σ**το μετρό.* *Το πορτοφόλι είναι **μέσα σ**την τσάντα μου.*
γύρω σε **γύρω από**	χρόνο τόπο	***Γύρω σ**τις 10:00 θα περάσω να σε πάρω.* *Υπάρχουν πολλά δέντρα **γύρω από** το σπίτι μου.*
μπροστά σε **μπροστά από** **πάνω σε** **πάνω από**	τόπο	*Άφησέ το ακριβώς **μπροστά σ**την πόρτα μου.* *Θα περιμένω **μπροστά από** το θέατρο.* *Τα κλειδιά είναι **πάνω σ**το τραπέζι.* *Ο πίνακας είναι **πάνω από** το τραπέζι.*
απέναντι από **έξω από** **κάτω από** **μακριά από** **πίσω από**	τόπο	*Μένω **απέναντι από** το πάρκο.* *Βγήκε **έξω από** την τάξη για λίγο.* *Τα χαρτιά έπεσαν **κάτω από** το τραπέζι.* *Δουλεύω **μακριά από** το σπίτι μου.* *Το παλτό κρέμεται **πίσω από** την πόρτα.*
μαζί με	συνοδεία	*Θα πάμε σινεμά **μαζί με** τους φίλους μας.*

Συνδυασμός: πρόθεση + πρόθεση + Αιτιατική

Πρόθεση + Πρόθεση	Δηλώνει	Παράδειγμα
αντί για **αντί σε** **αντί από**	αντικατάσταση	*Προτιμώ καφέ **αντί για** τσάι.* *Πήγα σινεμά **αντί σ**το θέατρο.* *Ψωνίζουμε από τη λαϊκή **αντί από** τον μανάβη.*

8.2 ΠΡΟΘΕΣΕΙΣ + ΓΕΝΙΚΗ

Πρόθεση	Δηλώνει	Παράδειγμα
άνευ (= χωρίς)	στέρηση	***Άνευ** χρημάτων δεν μπορείς να κάνεις τίποτα!*
δια (= με / μέσα από)	τρόπο κ.ά.	*Έφυγε **δια** της βίας.*
εκ (= από)	τόπο, χρόνο κ.ά.	*Όλα θα φανούν **εκ** του αποτελέσματος.*
εντός (= μέσα σε)	τόπο, χρόνο κ.ά.	*Θα σου απαντήσω **εντός** της ημέρας.*
επί (= πάνω σε)	τόπο, αναφορά κ.ά.	*Τι έχεις να πεις **επί** του θέματος;*
μεταξύ...και... (ανάμεσα σε)	τόπο, χρόνο	*Βρίσκομαι **μεταξύ** Αθήνας και Λαμίας.*
περί (= γύρω από)	τόπο, αναφορά κ.ά.	*Μιλάμε **περί** γάμου.*
πλην (= εκτός από)	εξαίρεση	*Ήρθαν όλοι **πλην** της Μαρίας.*
προ (= μπροστά από, πριν)	χρόνο κ.ά.	*Αυτό έγινε το 350 **προ** Χριστού (π.Χ.).*
υπέρ	υπεράσπιση κ.ά.	*Είμαι **υπέρ** της παγκόσμιας ειρήνης.*
Λέξεις ή Φράσεις σε θέση Πρόθεσης		
εξαιτίας/λόγω	αιτία	*Ο αγώνας δεν θα γίνει **εξαιτίας/λόγω** του κακού καιρού.*
μέσω	τρόπο, τόπο κ.ά.	*Φτάνω στο κέντρο **μέσω** της Αττικής οδού.*

Προθέσεις με αντίθετη σημασία

από	*Ξεκινάω **από** το σπίτι.*	↔	**σε/προς**	*Πάω **στο** σπίτι/ **προς** το σπίτι.*
εντός	*Θα μείνω **εντός** της πόλης.*	↔	**εκτός**	*Θα φύγω **εκτός** πόλης.*
με	*Δωμάτιο **με** θέα.*	↔	**χωρίς/δίχως/άνευ**	*Δωμάτιο **χωρίς/δίχως** θέα/**άνευ** θέας.*
υπέρ	*Είμαι **υπέρ** της ειρήνης.*	↔	**κατά**	*Είμαι **κατά** του πολέμου.*

8.3 ΠΡΟΘΕΣΕΙΣ + ΑΙΤΙΑΤΙΚΗ ή ΓΕΝΙΚΗ (με ίδια ή διαφορετική σημασία)

Πρόθεση	Δηλώνει	Παράδειγμα
αντί για + Αιτιατική **αντί + Γενική**	αντικατάσταση	***Αντί για*** *τον Γιάννη ήρθε ο Νίκος.* ***Αντί του*** *Γιάννη ήρθε ο Νίκος.*
εκτός από + Αιτιατική **εκτός + Γενική**	εξαίρεση	*Μίλησαν όλοι* ***εκτός από*** *την Έλλη.* *Μίλησαν όλοι* ***εκτός*** *της Έλλης.*
κατά + Αιτιατική	άποψη χρόνο (περίπου)	*Είναι λάθος* ***κατά την*** *άποψή μου.* *Θα γυρίσω* ***κατά τις*** *2:00 το μεσημέρι.*
κατά + Γενική	αντίθεση	*Είναι* ***κατά των*** *φαρμάκων.*

ενάντια σε + Αιτιατική **εναντίον + Γενική**	αντίθεση	*Αγωνίζομαι* ***ενάντια σ****τον πόλεμο.* *Είμαι* ***εναντίον*** *του πολέμου.*

8.4 ΠΡΟΘΕΣΕΙΣ + ΡΗΜΑ ΣΕ ΥΠΟΤΑΚΤΙΚΗ

αντί να	αντικατάσταση	***Αντί να*** *διαβάζεις, βλέπεις τηλεόραση!*
από το να	προτίμηση	*Προτιμώ να παίζω* ***από το να*** *διαβάζω.*
παρά να	προτίμηση	*Προτιμώ να παίζω* ***παρά να*** *διαβάζω.*
χωρίς/δίχως να	στέρηση	*Δεν περνάει μέρα* ***χωρίς να*** *τον πάρω τηλέφωνο.*

8.5 ΣΑΝ, ΟΠΩΣ, ΩΣ

Οι λέξεις αυτές λειτουργούν ως προθέσεις. Τις χρησιμοποιώ για να παρομοιάσω κάτι με κάτι άλλο (σαν, όπως) ή για να δώσω σε κάτι μια ιδιότητα/ένα χαρακτηριστικό που έχει πραγματικά (ως).

	Δηλώνει	**Παράδειγμα**	**Σημαίνει ότι...**
σαν + Ονομαστική	παρομοίωση ψευδή	*Μιλάει **σαν πατέρας**.*	Μιλάει με τον τρόπο που μιλάει ένας πατέρας, αλλά δεν είναι πατέρας. (γενικά)
σαν + άρθρο + Αιτιατική	παρομοίωση ψευδή	*Μιλάει **σαν τον πατέρα** μου.*	Μιλάει με τον τρόπο που μιλάει ο πατέρας μου, αλλά δεν είναι ο πατέρας μου. (συγκεκριμένα)
σαν + εμένα/εσένα/ αυτόν-ή-ό/εμάς/εσάς/ αυτούς-ές-ά **(Αιτιατική, δυνατός τύπος προσωπικής αντωνυμίας)**	παρομοίωση	*Η αδερφή μου μιλάει **σαν (και) εμένα**.*	Μιλάει με τον ίδιο τρόπο ή με την ίδια φωνή με εμένα.
σαν + Υποτακτική	παρομοίωση	*Νιώθω **σαν να είμαι** δέκα χρονών.*	Δεν είμαι δέκα χρονών, αλλά έτσι νιώθω.
όπως + άρθρο + Ονομαστική	παρομοίωση αληθή	*Μιλάει **όπως ο πατέρας** μου.*	Μιλάει με τον τρόπο που μιλάει ο πατέρας μου, αλλά δεν είναι ο πατέρας μου. (συγκεκριμένα)
όπως + ρήμα	παρομοίωση	*Τραγουδάει **όπως τραγουδούσε** ο Μάικλ Τζάκσον.*	Δεν είναι ο Μάικλ Τζάκσον, αλλά τραγουδάει όπως ο Μάικλ Τζάκσον.
ως + ίδια πτώση με τη λέξη που προσδιορίζει	ιδιότητα	*(Αυτή) δουλεύει **ως καθηγήτρια**.*	Είναι καθηγήτρια στην πραγματικότητα.

Κεφάλαιο 9: Οι Προτάσεις

9.1 ΚΥΡΙΕΣ ΠΡΟΤΑΣΕΙΣ

Κύριες Προτάσεις είναι οι προτάσεις που έχουν πλήρες νόημα. Στέκονται δηλαδή μόνες τους στον λόγο χωρίς να έχουν την ανάγκη κάποιας άλλης πρότασης. Οι Κύριες Προτάσεις παίρνουν άρνηση «δεν» αλλά σε κάποιες περιπτώσεις και «μην» (απαγόρευση).

Κάποιες φορές ξεκινούν ή συνδέονται μεταξύ τους με τους παρακάτω τρόπους:

Εκφράζουν	Ξεκινούν με	Παράδειγμα
Παράταξη	και, ούτε, μήτε ούτε...ούτε	*Μένω στην Ελλάδα **και** δουλεύω στην Αθήνα.* ***Ούτε** τρώει **ούτε** πίνει.*
Διάζευξη	ή, είτε ή...ή/είτε...είτε	*Θα φύγεις **ή** θα μείνεις;* ***Είτε** θα αγοράσω σπίτι **είτε** θα νοικιάσω.*
Έμφαση	όχι μόνο...αλλά και όχι μόνο δεν...αλλά ούτε	***Όχι μόνο** έφυγε, **αλλά και** δεν είπε τίποτα πριν.* ***Όχι μόνο δεν** έρχεσαι στο μάθημα, **αλλά ούτε** διαβάζεις στο σπίτι.*
Αντίθεση	αλλά, όμως, μα, ωστόσο, παρόλα αυτά	*Του μιλάω, **αλλά** δεν μου απαντάει.* *Είχε διαβάσει. **Ωστόσο**, δεν έγραψε καλά.*
Αποτέλεσμα	λοιπόν, άρα, επομένως, γι΄αυτό κ.ά.	*Δεν έχω χρήματα, **άρα** δεν θα πάω διακοπές.* *Βρέχει. **Γι' αυτό** δεν θα πάμε εκδρομή.*
Χρονική ακολουθία	πρώτα, στην αρχή, μετά, έπειτα, στο τέλος, τελικά κ.ά.	***Πρώτα** καθαρίζουμε τις πατάτες **και μετά** τις βάζουμε στον φούρνο.* *Δεν ήθελε να έρθει, **στο τέλος** όμως ήρθε.*

 Με την παράταξη, τη διάζευξη και την αντίθεση μπορώ να συνδέω και δευτερεύουσες προτάσεις.

*Θα πάμε για φαγητό, όταν γυρίσει ο μπαμπάς **και** όταν κάνει μπάνιο.*

*Μαθαίνεις Ελληνικά για να δουλέψεις **ή** για να σπουδάσεις στην Ελλάδα;*

Κύριες προτάσεις είναι και οι ευθείες ερωτήσεις. Στο τέλος της ερώτησης βάζω πάντα ερωτηματικό. Στις ευθείες ερωτήσεις:

- απαντάω με «ναι» ή «όχι» (ερώτηση ολικής άγνοιας)
- απαντάω σε κάτι πιο συγκεκριμένο (ερώτηση μερικής άγνοιας)

Οι ευθείες ερωτήσεις μπορεί να ξεκινούν με τους παρακάτω τρόπους:

Ερώτηση	Απάντηση	Ξεκινούν με	Παράδειγμα
Ολικής άγνοιας	ναι - όχι	- μήπως, μήπως να, άραγε κ.ά.	*Πάμε σινεμά το βράδυ;* *Αγόρασες ψωμί;* ***Μήπως** θέλεις καφέ;* ***Μήπως να** φύγουμε τώρα;*
Μερικής άγνοιας	Πιο συγκεκριμένη	γιατί πού πώς πότε ποιος-α-ο πόσος-η-ο/πόσο τι	***Γιατί** δεν ήρθες στο μάθημα;* ***Πού** θα πάμε για φαγητό;* ***Πώς** είσαι σήμερα;* ***Πότε** θα πάμε διακοπές;* ***Ποια** είναι αυτή;* ***Πόση** ζάχαρη θέλετε;* ***Τι** θα κάνει η αδελφή σου αύριο;*

9.2 ΔΕΥΤΕΡΕΥΟΥΣΕΣ ΠΡΟΤΑΣΕΙΣ

Δευτερεύουσες Προτάσεις είναι οι προτάσεις που δεν μπορούν να σταθούν μόνες τους στον λόγο. Πηγαίνουν πάντα μαζί με μια Κύρια Πρόταση.

Ξεκινούν με:
- **συνδέσμους** (ότι, γιατί, όταν, αν κ.ά.)
- **αντωνυμίες** (ο οποίος, πόσος κ.ά.)
- **επιρρήματα** (όπου, όπως κ.ά.)
- **φράσεις** (την ώρα που κ.ά.)

Γενικός Πίνακας Δευτερευουσών Προτάσεων	
Ονοματικές	**Επιρρηματικές**
Συμπληρώνουν ένα ρήμα, ένα ουσιαστικό ή επίθετο κ.ά. και είναι συνήθως αντικείμενο ή υποκείμενο (εκτός από τις εξαρτημένες αναφορικές).	Δίνουν στην πρόταση που προσδιορίζουν μια (επιρρηματική) πληροφορία για τον χρόνο, την αιτία, τον σκοπό κ.ά.
9.2.1 Συμπληρωματικές με το «ότι/πως» (Ειδικές) 9.2.2 Συμπληρωματικές με το «να» (Βουλητικές) 9.2.3 Συμπληρωματικές με το «που» 9.2.4 Συμπληρωματικές με το «μην/μήπως» (Ενδοιαστικές) 9.2.5 Πλάγιες ερωτηματικές (αν, ποιος κ.ά.)	9.2.6 Αιτιολογικές (γιατί, επειδή κ.ά.) 9.2.7 Τελικές (για να, να) 9.2.8 Αποτελεσματικές/Συμπερασματικές (ώστε, που κ.ά.) 9.2.9 Εναντιωματικές/Παραχωρητικές (αν και, ενώ, και αν κ.ά.) 9.2.10 Χρονικές (όταν, ενώ, πριν κ.ά.) 9.2.11 Υποθετικές (αν κ.ά.)
9.2.12 Αναφορικές Ονοματικές (που, ο οποίος, όποιος κ.ά.)	9.2.12 Αναφορικές Επιρρηματικές (όπως, όσο κ.ά.)

9.2.1 Συμπληρωματικές Προτάσεις με το «ότι/πως» (Ειδικές)

- Οι Συμπληρωματικές Προτάσεις με το «ότι/πως» συμπληρώνουν ρήματα ή φράσεις που δηλώνουν γνώση, ομιλία, αίσθηση, απόδειξη και πίστη.
- Το ρήμα είναι σε Οριστική.
- Παίρνουν άρνηση «δεν».

Πριν τις Συμπληρωματικές Προτάσεις με το «ότι»/«πως» υπάρχουν ρήματα που δηλώνουν:	**Παράδειγμα**
γνώση (ξέρω, μαθαίνω, καταλαβαίνω κ.ά.)	***Ξέρω*** *ότι η Ελλάδα βρίσκεται στην Ευρώπη.* ***Καταλαβαίνω*** *πως δεν θέλεις να έρθεις.*
δήλωση (λέω, δηλώνω, αναφέρω κ.ά.)	*Ο Γιάννης* ***είπε*** *ότι θα πάει στο θέατρο απόψε.* *Μου* ***δήλωσε*** *ότι θα φύγει σύντομα.*
αίσθηση (βλέπω, ακούω, αισθάνομαι κ.ά.)	***Βλέπω*** *ότι δεν έχεις καθόλου χρόνο.* ***Αισθάνομαι*** *πως κάτι κακό θα γίνει.*
απόδειξη (δείχνω, αποδεικνύω κ.ά.)	*Μου* ***έδειξε*** *πως έχει δίκιο.* *Σου* ***απέδειξα*** *ότι έκανες λάθος.*
πίστη (πιστεύω, νομίζω, θεωρώ κ.ά.)	***Πιστεύεις*** *ότι θα έρθει τελικά;* ***Θεωρώ*** *πως δεν έγινε σωστά η δουλειά.*

Πότε γράφω «ότι» και πότε «ό,τι»;	
Νομίζω **ότι** πρέπει να έρθεις.	**ότι** = πως (ειδικό)
Φάτε **ό,τι** θέλετε.	**ό,τι** = αυτό που, οτιδήποτε (αναφορικό) →192

Πότε γράφω «πως» και πότε «πώς»;	
Λέει **πως** θα φύγει	**πως** = ότι (ειδικό)
Πώς θα φύγω μόνη μου τώρα;	**πώς;** = (ερωτηματικό) →173
Δεν ξέρω πώς θα γυρίσω σπίτι μου.	**πώς** = (ερωτηματικό) →178

9.2.2 Συμπληρωματικές Προτάσεις με το «να» (Βουλητικές)

- Οι Συμπληρωματικές Προτάσεις με το «να» συμπληρώνουν ρήματα ή φράσεις που δηλώνουν επιθυμία, δυνατότητα, πιθανότητα κ.ά.
- Το ρήμα είναι σε Υποτακτική (Απλή ή Συνεχή).
- Παίρνουν άρνηση «μην».

Πριν τις Συμπληρωματικές Προτάσεις με το «να» υπάρχουν φράσεις που δηλώνουν:	**Παραδείγματα**
επιθυμία (θέλω, ελπίζω, επιθυμώ, μου αρέσει, γουστάρω κ.ά.)	***Θέλω*** *να φύγω αμέσως.* ***Ελπίζω*** *να τα πούμε σύντομα.*
προσπάθεια (προσπαθώ, τολμώ κ.ά.)	***Προσπαθώ*** *να βρω νέα δουλειά.* *Δεν* ***τολμάει*** *να του πει την αλήθεια.*
διαταγή, προτροπή, απαγόρευση (διατάζω, απαγορεύω κ.ά.)	*Τον* ***διατάξανε*** *να φύγει πρώτος.* *Του* ***απαγόρευσε*** *να καπνίζει.*
φροντίδα ή το αντίθετο (φροντίζω, προσέχω, ξεχνώ, αμελώ κ.ά.)	***Φροντίζει*** *να γίνουν όλα τέλεια.* ***Πρόσεχε*** *να μην κάνεις λάθος.*
δυνατότητα (μπορώ, είναι δυνατόν, είναι αδύνατον κ.ά.)	***Είναι δυνατόν/μπορώ*** *να μην έρθω στη δουλειά αύριο;* ***Είναι αδύνατον*** *να φάω τόσο πολύ.*
πιθανότητα (μπορεί, είναι πιθανόν κ.ά.)	***Μπορεί*** *να έρθει τελικά στην εκδρομή.* ***Είναι πιθανόν*** *να μην έχουν χρήματα.*
αρχή, μέση, τέλος (αρχίζω, συνεχίζω, σταματώ κ.ά.)	***Αρχίζω*** *να μαθαίνω ελληνικά.* ***Θα σταματήσω*** *να καπνίζω από Δευτέρα.*
«**πρέπει**» (πρέπει, χρειάζεται, είναι απαραίτητο κ.ά.)	***Πρέπει*** *να διαβάζετε περισσότερο.* *Δεν* ***χρειάζεται*** *να μου το λες συνέχεια.*
«**επιτρέπεται**»-«**απαγορεύεται**» (επιτρέπεται, απαγορεύεται κ.ά.)	*Δεν* ***επιτρέπεται*** *να μιλάτε δυνατά εδώ.* ***Απαγορεύεται*** *να παρκάρετε στον χώρο γύρω από το υπουργείο.*
άμεση αίσθηση (βλέπω, ακούω κ.ά.)	***Είδες*** *τη Μαρία να παρκάρει;* *Τον* ***άκουσα*** *να φεύγει αργά το βράδυ.*
ψυχική κατάσταση (χαίρομαι, λυπάμαι, είναι ευχάριστο/δυσάρεστο, είναι καλό/κακό κ.ά.)	***Είναι ευχάριστο*** *να βγαίνεις με φίλους.* ***Είναι καλό*** *να γυμνάζεσαι καθημερινά.*
αντοχή, κούραση (κουράζομαι, βαριέμαι, αντέχω κ.ά.)	***Κουράστηκα*** *να προσπαθώ.* ***Βαριέται*** *να πάει μόνη της.*
Εκφράσεις: «λέω να», «έχω να», «πάω να», «πρόκειται να», «παρά τρίχα να», «μακάρι να»	***Λέμε*** *να πάμε σινεμά το βράδυ. Έρχεσαι;* ***Πάω*** *να δω μια ταινία. Θέλεις να έρθεις;*

Το «να» και οι διαφορετικές του χρήσεις	
Θέλω **να** βγεις έξω.	**να** (βουλητικό)
Χρειάζεται προσπάθεια **να** βρεις δουλειά!	**να** = για να (τελικό) 👁→181

9.2.3 Συμπληρωματικές Προτάσεις με το «που»

- Οι Συμπληρωματικές Προτάσεις με το «που» συμπληρώνουν ρήματα ή φράσεις που δηλώνουν συναίσθημα.
- Το ρήμα είναι σε Οριστική.
- Παίρνουν άρνηση «δεν».

Πριν τις Συμπληρωματικές Προτάσεις με το «που» υπάρχουν ρήματα ή φράσεις που δηλώνουν συναίσθημα.	Παράδειγμα
χαίρομαι, λυπάμαι, ζηλεύω, ντρέπομαι, μετανιώνω, είμαι χαρούμενος/λυπημένος, είναι κρίμα, είναι ωραίο/άσχημο, συγνώμη, είμαι στενοχωρημένος κ.ά.	***Χαίρομαι*** *που ήρθες.* ***Λυπάμαι*** *που δεν τα κατάφερες να έρθεις μαζί μας.* ***Είναι στενοχωρημένος*** *που δεν βρίσκει δουλειά.*

Πότε γράφω «που» και πότε «πού»;	
Χαίρομαι που *ήρθες!*	**«που»** μετά από ρήματα που δηλώνουν συναίσθημα
Ο άντρας που *είδες ήταν ο αδελφός μου.*	**που** = ο οποίος (αναφορικό) 👁→188
Πού *είσαι;*	**πού;** (ερωτηματικό) 👁→173
Δεν ξέρω ***πού*** *είσαι.*	**πού** (ερωτηματικό) 👁→178

9.2.4 Συμπληρωματικές Προτάσεις με το «μήπως/μην» (Ενδοιαστικές)

- Οι Συμπληρωματικές προτάσεις με το «μήπως/μην» συμπληρώνουν ρήματα ή φράσεις που δηλώνουν φόβο ή ανησυχία:
  - μήπως γίνει κάτι κακό.
  - μήπως δεν γίνει κάτι καλό.
- Το ρήμα είναι σε Οριστική ή Υποτακτική.
- Παίρνουν άρνηση «δεν».

Πριν τις Συμπληρωματικές Προτάσεις με το «μην/μήπως» υπάρχουν φράσεις που δηλώνουν συναίσθημα φόβου:	**Ξεκινούν με**	**Παραδείγματα**
φοβάμαι, ανησυχώ, τρέμω, τρομάζω, έχω αγωνία, υπάρχει φόβος/κίνδυνος κ.ά.	**μήπως, μην**	*Φοβάται **μήπως** έχασε τα κλειδιά του.* *Ανησυχώ **μην** αργήσω.* *Τρέμω **μήπως** καταλάβει ότι δεν έχω διαβάσει.*

⚠ Μετά από το ρήμα **φοβάμαι** μπορώ να έχω **«ότι»/«πως»** ή **«μήπως»/«μην»** ή **«να»** ή ένα ουσιαστικό.
Υπάρχουν όμως διαφορές στη σημασία:

1. **Φοβάμαι ότι/πως** θα αρρωστήσω. → φόβος πιο σίγουρος (Μάλλον θα αρρωστήσω, γιατί χθες βγήκα έξω στους -10°C με το φανελάκι.)

2. **Φοβάμαι μήπως/μην** αρρωστήσω. → φόβος πιθανός (Μπορεί να αρρωστήσω, μπορεί και όχι.)

3. **Φοβάμαι να** πάω στον γιατρό. → φόβος να κάνω κάτι

4. **Φοβάμαι** τις αρρώστιες. → φόβος για πράγμα, κατάσταση, πρόσωπο κ.ά.

Τα «μήπως/μην» και οι διαφορετικές τους χρήσεις	
Ανησυχώ **μήπως** δεν έρθει.	**μήπως** (ενδοιαστικό)
Μήπως έχεις ένα τσιγάρο;	**μήπως**; (ερωτηματικό) ⊙→173
Ρώτησα **μήπως** έχει ένα τσιγάρο.	**μήπως** (ερωτηματικό) ⊙→178

Φοβάμαι **μην** αποτύχω στην εξέταση.	**μην = μήπως** (δηλώνει φόβο)
Μην φοβάσαι, όλα θα πάνε καλά.	**Απαγόρευση** (άρνηση σε Προστακτική ⊙→148 και Υποτακτική ⊙→130)

9.2.5 Πλάγιες Ερωτηματικές Προτάσεις

- Οι Πλάγιες Ερωτηματικές Προτάσεις συμπληρώνουν ρήματα ή φράσεις που δηλώνουν **ερώτηση ή απορία** και βάζουν την ερώτηση σε πλάγιο λόγο. Όπως και στις ευθείες ερωτήσεις, έχω:
  - ερωτήσεις ολικής άγνοιας (απαντάω με «ναι» ή «όχι»)
  και
  - ερωτήσεις μερικής άγνοιας (απαντάω με κάτι πιο συγκεκριμένο).

- Το ρήμα είναι σε Οριστική ή Υποτακτική.

- Παίρνουν άρνηση «δεν» ή «μην».

- Μια πρόταση είναι Πλάγια Ερωτηματική, αν μπορώ να την κάνω Ευθεία Ερώτηση.

Πριν από τις Πλάγιες Ερωτηματικές Προτάσεις υπάρχουν ρήματα ή οι φράσεις όπως:	**Ξεκινούν με**	**Παράδειγμα**
ρωτάω, απορώ, αναρωτιέμαι, σκέφτομαι, εξετάζω, ξέρω, αμφιβάλλω, έχω την απορία, εξετάζεται, είναι άξιον απορίας κ.ά.	**Ολικής Άγνοιας** αν, μήπως	*Με ρώτησε **αν** θέλω να πάω σινεμά μαζί του.* *Αναρωτιέμαι **μήπως** δεν έχει φτάσει ακόμα.*
	Μερικής Άγνοιας ποιος, πόσος, τι, πού, πώς, πότε, πόσο, γιατί	*Θα εξετάσω **γιατί** δεν ήρθε χτες στη συνάντηση.* *Εξετάζεται από την αστυνομία **πού** πρέπει να στραφούν οι έρευνες.* *Απορώ **πώς** διάβασες το βιβλίο τόσο γρήγορα!* *Με ρώτησε **πότε** θα φύγω για διακοπές.*

Τα «αν» και οι διαφορετικές τους χρήσεις	
Με ρώτησε **αν (θα) πάω** *στο πάρτι.*	**αν** (Πλάγια Ερωτηματική Πρόταση)
Αν *έρθει, θα πάμε σινεμά.*	**αν** (υποθετικό) →186

Τα «μήπως/μην» και οι διαφορετικές τους χρήσεις	
Αναρωτιέμαι **μήπως/μην** δεν έρθει.	**μήπως** (ερωτηματικό)
Φοβάμαι **μήπως/μην** φύγει.	**μήπως** (ενδοιαστικό) →177

9.2.6 Αιτιολογικές Προτάσεις

- Οι Αιτιολογικές Προτάσεις δηλώνουν την αιτία, τον λόγο για τον οποίο γίνεται κάτι.
- Το ρήμα είναι σε Οριστική.
- Παίρνουν άρνηση «δεν».
- Χωρίζονται με κόμμα από την πρόταση που προσδιορίζουν.

Ξεκινούν με	**Παράδειγμα**
γιατί, επειδή, διότι, αφού, καθώς, εφόσον, μια και, μια που κ.ά.	*Δεν ήρθε στο μάθημα,* ***γιατί*** *ήταν άρρωστος.* ***Αφού*** *δεν έχεις λεφτά, δεν μπορείς να πας διακοπές.* ***Μια και*** *έχω χρόνο, αποφάσισα να καθαρίσω το σπίτι.*

 **Μπορώ να πω την παρακάτω πρόταση με δύο τρόπους:**

Ήταν άρρωστος (αιτία). Δεν ήρθε στο μάθημα.

- ***Ήταν άρρωστος, γι' αυτό*** *δεν ήρθε στο μάθημα.*
  (Το **για αυτό** → βρίσκεται **μετά** την αιτία)

- *Δεν ήρθε στο μάθημα,* ***γιατί/επειδή/διότι/αφού ήταν άρρωστος***.
  (Τα **γιατί/διότι** → βρίσκονται πάντα **πριν** από την αιτία).

Τα «**γιατί**» και «**διότι**» κανονικά δεν μπαίνουν στην αρχή της πρότασης μετά από τελεία.
~~Γιατί/Διότι *ήμουν άρρωστος, δεν ήρθα στο μάθημα*~~.

Μπαίνουν στην αρχή της πρότασης, μόνο αν υπάρχει πριν ερώτηση.
- ***Γιατί*** *δεν ήρθες;* (ευθεία ερώτηση με το **«γιατί»**)
- (Δεν ήρθα) ***Γιατί/Διότι*** δεν είχα χρόνο.

Αντίθετα τα «**επειδή**» και «**αφού**» μπορούν να μπουν και στην αρχή της πρότασης.
- *Δεν ήρθα στο μάθημα,* **επειδή/αφού/γιατί/διότι** *ήμουν άρρωστος.*

ή

- ***Επειδή/αφού*** *ήμουν άρρωστος, δεν ήρθα στο μάθημα.*

Το «αφού» και οι διαφορετικές του χρήσεις	
Αφού *δεν έχεις χρόνο, μην έρθεις.*	**αφού = επειδή** (αιτιολογικό)
Αφού *τελειώσεις το μάθημα, έλα.*	**αφού = όταν** (χρονικό) ⊙→184

9.2.7 Τελικές Προτάσεις

- Οι Τελικές Προτάσεις δηλώνουν τον σκοπό για τον οποίο γίνεται κάτι.
- Το ρήμα είναι σε Υποτακτική.
- Παίρνουν άρνηση «μην».

Ξεκινούν με	**Παράδειγμα**
για να, να	*Κάνω μαθήματα **για να** μάθω Ελληνικά.* *Ήρθε **να** μας πει ότι γράψαμε καλά στο τεστ.* ***Για να μην** αργήσετε, φύγετε τώρα.*

Το «να» και οι διαφορετικές του χρήσεις (σε δευτερεύουσες προτάσεις)	
*Πέρνα από το σπίτι μου **να** διαβάσουμε μαζί.*	**να = για να** (τελικό) Όταν στη θέση του **να** μπορεί να μπει το **για να**, τότε είναι πάντα τελικό (δείχνει σκοπό).
*Θέλεις **να** πάμε μια βόλτα;*	**να** (συμπληρωματική πρόταση με **να**) ⊙→174-176

Το «για να» μπορεί να μπει για έμφαση και στην αρχή της περιόδου, όχι όμως και το «να».

Για να είσαι υγιής, πρέπει να τρως πολλά φρούτα.

Αλλά δεν λεμε ποτέ:
~~Να είσαι υγιής, πρέπει να τρως πολλά φρούτα.~~

9.2.8 Αποτελεσματικές Προτάσεις

- Οι Αποτελεσματικές Προτάσεις δηλώνουν το αποτέλεσμα μιας πράξης.
- Το ρήμα είναι σε Οριστική ή Υποτακτική.
- Παίρνουν άρνηση «δεν» ή «μην».
- Συχνά στην πρόταση που υπάρχει πριν βλέπω τις λέξεις ***τέτοιος, τόσος, τόσο, έτσι.***
- Χωρίζονται με κόμμα από την πρόταση που προσδιορίζουν.

Μπορεί να δω πριν:	**Ξεκινούν με:**	**Παράδειγμα**
τέτοιος-α-ο τόσος-η-ο τόσο έτσι	ώστε, που, ώστε να, που να κ.ά.	*Είναι **τόσο** έξυπνη, **που** περνάει τις εξετάσεις χωρίς να διαβάσει.* *Μου τα εξήγησε **έτσι**, **ώστε** τα κατάλαβα αμέσως.* *Θέλω να γίνω **τόσο** πλούσιος, **που να** μπορώ να αγοράζω τα πάντα.* *Είναι **τόσο** σκληρός, **ώστε** τίποτα δεν τον συγκινεί.*

Ήταν **τόσο** ακριβό,	**ώστε/που** δεν το αγόρασα.
Αιτία	**Αποτέλεσμα**

Όταν αναφέρονται στο μέλλον, οι Αποτελεσματικές Προτάσεις έχουν συχνά παρόμοια σημασία με τις τελικές.	
Διαβάζω πολύ, **ώστε να** περάσω τις εξετάσεις.	**ώστε να ≃ για να**

9.2.9 Εναντιωματικές / Παραχωρητικές Προτάσεις

- Οι Εναντιωματικές Προτάσεις δηλώνουν αντίθεση
  - σε κάτι πραγματικό (Εναντιωματικές).
  - σε κάτι υποθετικό ή μη πραγματικό (Παραχωρητικές).

- Το ρήμα είναι σε Οριστική ή Υποτακτική.
- Παίρνουν άρνηση «δεν» ή «μην».
- Χωρίζονται με κόμμα από την πρόταση που προσδιορίζουν.

	Ξεκινούν με	**Παράδειγμα**
Εναντιωματικές	αν και, ενώ, μολονότι, παρόλο που, παρότι, παρά το γεγονός ότι, και/κι ας κ.ά.	***Αν και*** *έφτασε αργά, πρόλαβε τη συνάντηση.* *Τη ρωτούσε συνέχεια,* ***παρόλο που*** *δεν του απαντούσε.* ***Αν και*** *δεν έχω όρεξη, πρέπει να φάω κάτι.* *Θα φάω κάτι,* ***κι ας*** *μην έχω όρεξη.*
Παραχωρητικές	(ακόμα) και αν, (ακόμα) και να κ.ά.	***Ακόμα κι αν*** *δεν έχει καλό καιρό, θα πάμε βόλτα έξω.* ***Και να*** *μην με καλέσει η Μαίρη στη γιορτή της, εγώ θα πάω.*

Το «ενώ» και οι διαφορετικές του χρήσεις	
Ενώ *δεν έχεις πολλά λεφτά, ψωνίζεις συνέχεια.*	**ενώ = αν και / παρόλο που / παρότι / παρά το γεγονός ότι / μολονότι** (εναντιωματικό)
Ενώ *έβλεπα τηλεόραση, ο φίλος μου διάβαζε εφημερίδα.*	**ενώ = καθώς / την ώρα που** (χρονικό) ⊙→184

Το «αν» και το «αν και»	
Αν και *έχω χρόνο, δεν έχω όρεξη να έρθω.*	**αν και = ενώ / παρόλο που / παρότι / παρά το γεγονός ότι / μολονότι** (εναντιωματικό)
Αν *έχω χρόνο, θα έρθω.*	**αν** (υποθετικό) ⊙→186
Δεν ξέρω ***αν*** *έχω χρόνο.*	**αν** (σε πλάγια ερωτηματική πρόταση) ⊙→178

9.2.10 Χρονικές Προτάσεις

- Οι Χρονικές Προτάσεις δηλώνουν τον χρόνο, δηλαδή δείχνουν το πότε γίνεται μια πράξη σε σχέση με την πρόταση που προσδιορίζουν.
- Το ρήμα είναι σε Οριστική ή Υποτακτική.
- Παίρνουν άρνηση «δεν» ή «μην».
- Χωρίζονται με κόμμα από την πρόταση που προσδιορίζουν.

Ξεκινούν με	Παράδειγμα	Χρόνος/Έγκλιση	Πότε;
αφού, αφότου, μόλις, μετά που, όταν κ.ά. **1η πράξη (πρώτα-προτερόχρονο)**	***Αφού*** *έφαγα, διάβασα.* = *Πρώτα έφαγα και μετά διάβασα.*	Αόριστος, Υπερσυντέλικος κ.ά.	παρελθόν
	Αφού *τρώω/φάω, διαβάζω.* = *Πρώτα τρώω και μετά διαβάζω.*	Ενεστώτας, Απλή Υποτακτική	γενικά
	Αφού *φάω, θα διαβάσω.* = *Πρώτα θα φάω και μετά θα διαβάσω.*	Απλή Υποτακτική κ.ά.	μέλλον

ενώ, καθώς, τη στιγμή που, την ώρα που, όταν κ.ά. **1η πράξη // 2η πράξη (ταυτόχρονο)** **παράλληλα**	***Ενώ*** *έτρωγα, διάβαζα.* = *Παράλληλα έτρωγα και διάβαζα.*	Παρατατικός	παρελθόν
	Ενώ *τρώω, διαβάζω.* = *Παράλληλα τρώω και διαβάζω.*	Ενεστώτας	γενικά
	Ενώ *θα τρώω, θα διαβάζω.* = *Παράλληλα θα τρώω και θα διαβάζω.*	Συνεχής Μέλλοντας	μέλλον
ενώ, καθώς, τη στιγμή που, την ώρα που, όταν κ.ά. **1η πράξη ---(!)--- διακοπή από δεύτερη πράξη**	***Ενώ*** *έτρωγα, χτύπησε το τηλέφωνο.* = *Έτρωγα και ξαφνικά χτύπησε το τηλέφωνο.* *(Το ρήμα της κύριας μπαίνει στον Αόριστο ή στον Απλό Μέλλοντα.)*	Παρατατικός	παρελθόν

όποτε, κάθε φορά που κ.ά. **επανάληψη**	***Όποτε*** *είχα χρόνο, διάβαζα.* = *Κάθε φορά που είχα χρόνο, διάβαζα.*	Παρατατικός	παρελθόν
	Όποτε *έχω χρόνο, διαβάζω.* = *Κάθε φορά που έχω χρόνο, διαβάζω.*	Ενεστώτας	γενικά
	Όποτε *θα έχω χρόνο, θα διαβάζω.* = *Κάθε φορά που θα έχω χρόνο, θα διαβάζω.*	Συνεχής Μέλλοντας	μέλλον

πριν, προτού, μέχρι να, ώσπου να κ.ά. **2η πράξη (μετά-υστερόχρονο)**	***Πριν*** *(να) διαβάσω, έφαγα.* = *Πρώτα έφαγα και μετά διάβασα.*	Απλή Υποτακτική	παρελθόν
	Πριν *(να) διαβάσω, τρώω.* = *Πρώτα τρώω και μετά διαβάζω.*		γενικά
	Πριν *(να) διαβάσω, θα φάω.* = *Πρώτα θα φάω και μετά θα διαβάσω.*		μέλλον

 Το «**πριν**» θέλει πάντα Απλή Υποτακτική.

 Όταν έχω το «**πριν**», ποτέ δεν βάζω άρνηση.
~~Πριν να μην διαβάσω, έφαγα.~~

Το «αφού» και οι διαφορετικές του χρήσεις	
Αφού *τελειώσεις το μάθημα, έλα.*	**αφού = όταν**
Αφού *δεν έχεις χρόνο, μην έρθεις.*	**αφού = επειδή** (αιτιολογικό) ⊙→180

Το «ενώ» και οι διαφορετικές του χρήσεις	
Ενώ *έβλεπα τηλεόραση, ο φίλος μου διάβαζε εφημερίδα.*	**ενώ = καθώς/την ώρα που** (χρονικό)
Ενώ *δεν έχεις λεφτά, ψωνίζεις συνέχεια!*	**ενώ = αν και/παρόλο που/μολονότι/παρά το γεγονός ότι** (εναντιωματικό) ⊙→183

9.2.11 Υποθετικοί Λόγοι

Οι Υποθετικοί Λόγοι έχουν δύο μέρη:
- την Υποθετική Πρόταση (Υπόθεση)
- την Κύρια Πρόταση (Απόδοση)

- Οι δύο προτάσεις χωρίζονται με κόμμα.
- Παίρνουν άρνηση «δεν».
- Η Υπόθεση μαζί με την Απόδοση (Κύρια Πρόταση) δημιουργούν έναν Υποθετικό Λόγο.

Ξεκινούν με	**Παράδειγμα**
αν/εάν	***Αν*** *είσαι έτοιμη, φεύγουμε.*
εφόσον	***Εφόσον*** *έχουμε χρήματα, θα πάμε κρουαζιέρα.*
άμα	***Άμα*** *έχεις χρόνο, έλα μαζί μας για καφέ.*
στην περίπτωση που	***Στην περίπτωση που*** *δεν είμαι σπίτι, θα είμαι στη δουλειά.*

Υποθετικός Λόγος	
Υπόθεση	**Απόδοση**
Αν περάσω τις εξετάσεις,	**θα κάνω** ένα μεγάλο πάρτι.

Βασικά Είδη Υποθετικών Λόγων

Υπόθεση	Απόδοση	Παράδειγμα	Δηλώνει	Πότε;
Αν + Ενεστώτας κ.ά.	**θα + Ενεστώτας κ.ά.**	***Αν διαβάζω, θα γράφω*** *καλά σε όλα τα τεστ!*	**γενική αλήθεια, κάτι πραγματικό**	πάντα
Αν + Απλός Μέλλοντας	**+ Απλός Μέλλοντας**	***Αν διαβάσω, θα γράψω*** *καλά στο τεστ αύριο.*	**κάτι πιθανό**	παρόν /μέλλον
	+ Απλή Προστακτική	***Αν τελειώσεις*** *το διάβασμα νωρίς,* ***έλα*** *σπίτι.*		
Αν + Παρατατικός	**θα + Παρατατικός**	***Αν διάβαζα*** *σήμερα,* ***θα έγραφα*** *καλά στο αυριανό τεστ.*	**μάλλον απίθανο**	παρόν /μέλλον
Αν + Υπερσυντέλικος ή Αν + Παρατατικός	**θα + Υπερσυντέλικος ή θα + Παρατατικός**	***Αν είχα διαβάσει*** *χτες,* ***θα είχα γράψει*** *καλά στο τεστ.*	**αδύνατο**	παρελθόν

Πολλές φορές γίνονται και άλλοι συνδυασμοί Υπόθεσης-Απόδοσης. Επίσης, αρκετές φορές χρησιμοποιώ και άλλους χρόνους για να φτιάξω Υποθετικούς Λόγους.

Αν έχεις τελειώσει μέχρι τις 9.00, πάμε σινεμά.

9.2.12 Αναφορικές Προτάσεις

Αναφορικές Εξαρτημένες

- Οι Αναφορικές Εξαρτημένες Προτάσεις αναφέρονται σε μια λέξη ή φράση που υπάρχει στην προηγούμενη πρόταση.
- Το ρήμα είναι σε Οριστική.
- Παίρνουν άρνηση «δεν».
- Ξεκινούν με τις αναφορικές αντωνυμίες: **που** και **ο οποίος / η οποία / το οποίο**.
- Δεν χωρίζονται με κόμμα από τη λέξη που προσδιορίζουν όταν δίνουν μια απαραίτητη πληροφορία.

Χρησιμοποιώ μια εξαρτημένη αναφορική πρόταση, όταν θέλω να δώσω περισσότερες πληροφορίες για ένα ουσιαστικό, μία αντωνυμία κ.ά.

- Ξέρεις αυτόν τον ηθοποιό;
- Όχι, ποιος είναι;
*- Είναι ο ηθοποιός **που/ο οποίος έπαιζε στην ταινία που είδαμε την προηγούμενη βδομάδα στο σινεμά**.*

Η αντωνυμία **ο οποίος**, **η οποία**, **το οποίο** (για την κλίση της ⊙→79) συνδέει δύο προτάσεις που έχουν μία κοινή λέξη. Παίρνει τη θέση της κοινής λέξης στη δεύτερη πρόταση και κρατάει το γένος (αρσενικό θηλυκό, ουδέτερο) και τον αριθμό της (ενικός - πληθυντικός). Η πτώση της (Ονομαστική, Γενική, Αιτιατική) έχει σχέση με τον συντακτικό ρόλο που παίζει στην αναφορική πρόταση (υποκείμενο, αντικείμενο κ.ά.). Συχνά πριν από την αντωνυμία υπάρχει κάποια πρόθεση (σε, με, από, για, προς κ.ά.).

Τις πιο πολλές φορές μπορώ να χρησιμοποιήσω το **που** στη θέση του **ο οποίος, η οποία, το οποίο** (κάποιες φορές μαζί με άλλη λέξη). Όταν όμως υπάρχει πρόθεση (σε, από, για κ.ά.), τότε δεν βάζω το **που** (εκτός από κάποιες περιπτώσεις με την πρόθεση «σε»).

Γενικός Πίνακας Αναφορικών Προτάσεων	
Αναφορική Αντωνυμία σε **Ονομαστική**	Χθες είδα τον Γιώργο. **Ο Γιώργος** είναι φίλος μου. Χθες είδα τον Γιώργο, **ο οποίος** είναι φίλος μου. Χθες είδα τον Γιώργο, **που** είναι φίλος μου.
Αναφορική Αντωνυμία σε **Γενική**	Αυτός ο άντρας είναι ο μπαμπάς μου. Το αυτοκίνητό του είναι έξω. Αυτός ο άντρας, **του οποίου** το αυτοκίνητο είναι έξω, είναι ο μπαμπάς μου. Αυτός ο άντρας, **που** το αυτοκίνητό **του** είναι έξω, είναι ο μπαμπάς μου.
Αναφορική Αντωνυμία σε **Αιτιατική**	Αυτός είναι ο φίλος μου ο Γιώργος. Γνώρισα **τον Γιώργο** στις διακοπές. Αυτός είναι ο φίλος μου ο Γιώργος, **τον οποίο** γνώρισα στις διακοπές. Αυτός είναι ο φίλος μου ο Γιώργος, **που (τον)** γνώρισα στις διακοπές.

Αναφορική Αντωνυμία με **πρόθεση**	Αυτός είναι ο κύριος Γεωργίου. **Από αυτόν** αγόρασα το αυτοκίνητό μου. Αυτός είναι ο κύριος Γεωργίου **από τον οποίο** αγόρασα το αυτοκίνητό μου.

Αναλυτικός Σχηματισμός

ο οποίος, η οποία, το οποίο κτλ. = που (⊙→79)
Χθες είδα τον Γιώργο. **Ο Γιώργος** είναι φίλος μου. = Χθες είδα τον Γιώργο, **ο οποίος** είναι φίλος μου. = Χθες είδα τον Γιώργο, **που** είναι φίλος μου.

ο οποίος
η οποία
το οποίο
= που
οι οποίοι
οι οποίες
τα οποία

 Το «που» **δεν** κλίνεται και στις αναφορικές προτάσεις **δεν** παίρνει τόνο.

του οποίου, της οποίας, του οποίου κτλ. = που + κτητική αντωνυμία (⊙→64)
Αυτός ο άντρας είναι ο μπαμπάς μου. Το αυτοκίνητό **του** είναι έξω. = Αυτός ο άντρας, **του οποίου** το αυτοκίνητο είναι έξω, είναι ο μπαμπάς μου. = Αυτός ο άντρας, **που** το αυτοκίνητό **του** είναι έξω, είναι ο μπαμπάς μου.

του οποίου **της οποίας** **του οποίου** **των οποίων**	**=**	**που** + κτητική αντωνυμία **(μου, σου, του, της, του,** **μας, σας, τους)**

τον οποίο, την οποία, το οποίο = που (+ αδύνατος τύπος προσωπικής αντωνυμίας) ⊙→61
Αυτός είναι ο φίλος μου ο Γιώργος. Γνώρισα **τον Γιώργο** στις διακοπές. = Αυτός είναι ο φίλος μου ο Γιώργος, **τον οποίο** γνώρισα στις διακοπές. = Αυτός είναι ο φίλος μου ο Γιώργος, **που (τον)** γνώρισα στις διακοπές.

τον οποίο = που (τον)
την οποία = που (την)
το οποίο = που (το)
τους οποίους = που (τους)
τις οποίες = που (τις)
τα οποία = που (τα)

στον οποίο, στην οποία, στο οποίο = που (+ αδύνατος τύπος προσωπικής αντωνυμίας) ⊙→61
Ο υπάλληλος λέγεται Κωστάκος. **Σε αυτόν** πρέπει να τηλεφωνήσω. = Ο υπάλληλος **στον οποίο** πρέπει να τηλεφωνήσω λέγεται Κωστάκος.

⚠ Μπορώ να χρησιμοποιήσω το «που» με την προσωπική αντωνυμία μόνο αν η αναφορική αντωνυμία (τον οποίο κτλ.) είναι αντικείμενο του ρήματος. (⊙→62).

*Ο υπάλληλος **που** πρέπει να **του** τηλεφωνήσω λέγεται Κωστάκος.*

από/για/με/χωρίς/κατά τον οποίο κτλ.
Αυτός είναι ο κύριος Γεωργίου. **Από αυτόν** αγόρασα το αυτοκίνητό μου. = Αυτός είναι ο κύριος Γεωργίου **από τον οποίο** αγόρασα το αυτοκίνητό μου.
Αυτή είναι η κυρία Ιωάννου. **Για αυτή** σου μιλούσα χτες. = Αυτή είναι η κυρία Ιωάννου **για την οποία** σου μιλούσα χτες.
Μίλησα με την αδερφή μου. **Με αυτήν** θα πάμε μαζί στο Κάιρο. = Μίλησα με την αδερφή μου **με την οποία** θα πάμε μαζί στο Κάιρο.
Αυτή είναι η γραμματέας μου. **Χωρίς αυτήν** δεν μπορώ να δουλέψω. = Αυτή είναι η γραμματέας μου **χωρίς την οποία** δεν μπορώ να δουλέψω.
Έμεινα έναν χρόνο στη Γαλλία. Κατά τον χρόνο αυτόν έμαθα Γαλλικά. = Έμεινα έναν χρόνο στη Γαλλία **κατά τον οποίο** έμαθα Γαλλικά.

Αν θέλω να δώσω έμφαση, μπορώ να έχω μετά την αντωνυμία **ο οποίος**, **η οποία**, **το οποίο** και τη λέξη στην οποία αναφέρεται η αντωνυμία. Σε αυτή την περίπτωση δεν χρησιμοποιώ άρθρο μπροστά από τη λέξη.

Έμφαση
Η Όλγα φοράει υπέροχα ρούχα. Αυτά τα ρούχα τα φτιάχνει μόνη της. = Η Όλγα φοράει υπέροχα ρούχα, **τα οποία ρούχα** φτιάχνει μόνη της.

Πότε γράφω «που» και πότε «πού»;	
*Ο άντρας **που** είδες ήταν ο φίλος μου.*	**που = ο οποίος** (αναφορικό)
***Λυπάμαι που** θα φύγεις.*	**που** (συμπληρωματικές προτάσεις με το που) ⊙→176
***Πού** είσαι;*	**πού;** (ερωτηματικό) ⊙→173
*Δεν ξέρω **πού** εισαι.*	**πού** (ερωτηματικό) ⊙→178

Αναφορικές Ελεύθερες

- Οι Ελεύθερες Αναφορικές Προτάσεις δεν αναφέρονται σε κάποια λέξη της πρότασης με την οποία συνδέονται, γιατί προσδιορίζουν ολόκληρη την πρόταση.
- Μπορεί να βρίσκονται πριν ή μετά την πρόταση που προσδιορίζουν.
- Το ρήμα είναι σε Οριστική.
- Παίρνουν άρνηση «δεν».

Μερικές από αυτές είναι **ονοματικές**. Ξεκινούν με λέξη που κλίνεται (εκτός από το **ό,τι/οτιδήποτε**) και συνήθως λειτουργούν ως υποκείμενο ή αντικείμενο της πρότασης που προσδιορίζουν.

Ξεκινούν με	**Παράδειγμα**
όποιος-α-ο, όσος-η-ο, οποιοσδήποτε-οποιαδήποτε-οποιοδήποτε, ό,τι, οτιδήποτε	*Να έρθει μαζί μου **όποιος** μπορεί.* *Βάλε **όση** ζάχαρη θέλεις στον καφέ σου.* ***Οποιοσδήποτε** ή **οποιαδήποτε** από σας δεν καταλαβαίνει, να μου το πει.* *Κάνε **ό,τι/οτιδήποτε** θέλεις. Πραγματικά δεν με ενδιαφέρει.*

Πότε γράφω «ότι» και πότε «ό,τι»;	
*Φάε **ό,τι** θέλεις.*	**ό,τι** = αυτό που, οτιδήποτε (αναφορικό)
*Σου είπα **ότι** θα φάω κάτι έξω.*	**ότι** = πως (ειδικό) ⊙→174

Άλλες είναι **επιρρηματικές**. Ξεκινούν με αναφορικό επίρρημα που δεν κλίνεται (⊙→59) και δίνουν μια επιρρηματική πληροφορία (τρόπος, ποσό, χρόνος, τόπος) στην πρόταση που προσδιορίζουν.

Ξεκινούν με	**Παράδειγμα**
όπως, όσο, όπου, όποτε οπουδήποτε, οποτεδήποτε	*Κάνε **όπως** νομίζεις.* ***Όποτε** έχεις χρόνο πάρε με τηλέφωνο να πάμε για καφέ.* *Πιες **όσο** θέλεις.* *Πάμε **όπου** θέλεις.*

9.3 ΙΔΙΕΣ ΛΕΞΕΙΣ ΜΕ ΔΙΑΦΟΡΕΤΙΚΕΣ ΧΡΗΣΕΙΣ ΣΤΙΣ ΠΡΟΤΑΣΕΙΣ

Λέξη	Τι μπορεί να είναι;	Παράδειγμα
ότι **ό,τι**	ότι = πως (ειδικό) ό,τι = αυτό που (αναφορικό)	*Νομίζω* ***ότι*** *πρέπει να έρθεις.* *Να κάνεις* ***ό,τι*** *θέλεις.*
πως **πώς;** **πώς**	πως = ότι (ειδικό) πώς; (ερωτηματικό) πώς (ερωτηματικό)	*Είπε* ***πως*** *θα φύγει αύριο.* ***Πώς*** *θα έρθω στο σπίτι σου;* *Δεν ξέρω* ***πώς*** *θα έρθω σπίτι σου.*
να	να (συμπληρωματικό) να = για να (τελικό) να (φοβάμαι+να)	*Θέλω* ***να*** *βγεις έξω.* *Πάρε τηλέφωνο* ***να*** *σου πω τα νέα.* *Φοβάμαι* ***να*** *βγω μόνη μου έξω το βράδυ.*
που **πού;** **πού**	που = ο οποίος (αναφορικό) που = (συμπληρωματικό) πού; (ερωτηματικό) πού (ερωτηματικό)	*Ο άντρας* ***που*** *ήρθε είναι ο μπαμπάς μου.* *Χαίρομαι* ***που*** *ήρθες.* ***Πού*** *είσαι;* *Δεν ξέρω* ***πού*** *εισαι.*
μην/μήπως **μην** **μήπως;** **μήπως**	μην = μήπως (ενδοιαστικό) μην (απαγόρευση) μήπως; (ερωτηματικό) μήπως (ερωτηματικό)	*Φοβάμαι* ***μην/μήπως*** *δεν έρθει.* ***Μην*** *φύγεις!* ***Μήπως*** *θέλεις κάτι;* *Δεν ξέρω* ***μήπως*** *θέλει κάτι.*
αν/εάν	αν/εάν (πλάγια ερώτηση) αν/εάν (υποθετικό)	*Τον ρώτησα* ***αν*** *θα έρθει.* ***Αν*** *έχω χρόνο, θα πάω.*
αφού	αφού = επειδή (αιτιολογικό) αφού = όταν (χρονικό)	***Αφού*** *δεν έχεις χρόνο, μην έρθεις.* ***Αφού*** *τελειώσεις το μάθημα, έλα από το σπίτι μου.*
ενώ	ενώ = αν και (εναντιωματικό) ενώ = καθώς (χρονικό)	***Ενώ*** *δεν έχεις λεφτά, ψωνίζεις συνέχεια!* ***Ενώ*** *έβλεπα τηλεόραση, ο φίλος μου διάβαζε.*

Κεφάλαιο 10: Σύντομος Οδηγός Ορθογραφίας

10.1 ΟΥΣΙΑΣΤΙΚΟ

Γράφω σωστά τα αρσενικά ουσιαστικά

Τελειώνουν σε:	Κανόνας/παραδείγματα	Εξαιρέσεις
-ης	Όλα τα αρσενικά ουσιαστικά που τελειώνουν σε /-is/ στην Ονομαστική του ενικού γράφονται με «η». (κρατάνε το «η» σε όλες τις πτώσεις του ενικού) καθηγητής, μαθητής	
-οι	Όλα τα αρσενικά ουσιαστικά που τελειώνουν σε -ος ,στον πληθυντικό γράφονται με «οι». άνθρωποι, γιατροί	
-ονας	γείτονας, πνεύμονας	καύσωνας, θερμοσίφωνας
-ωνας	κύρια, ονόματα: Πλάτωνας, Σόλωνας	Αγαμέμνονας
-ώνας	αγώνας, χειμώνας, Μαραθώνας, Ελαιώνας	κανόνας, ηγεμόνας, αλαζόνας
-ορας	κόκορας, αυτοκράτορας	
-τήρας	συνδετήρας, ανεμιστήρας, βραστήρας	
-ητής	ποιητής, παρατηρητής, μεσολαβητής, κολυμβητής, καθηγητής, μαθητής, φοιτητής	ιδρυτής, μηνυτής, κριτής
-ιστής	λογιστής, πολεμιστής, συντονιστής	δανειστής
-ίτης	πολίτης	ιδιοκτήτης, μαγνήτης, διαβήτης
-ώτης	(συνήθως δείχνουν καταγωγή) νησιώτης, ιδιώτης, ταξιδιώτης, Πειραιώτης (= από τον Πειραιά), Χανιώτης	αγρότης, δημότης, τοξότης

Γράφω σωστά τα θηλυκά ουσιαστικά

Τελειώνουν σε:	Κανόνας/παραδείγματα	Εξαιρέσεις
-η	Όλα τα θηλυκά ουσιαστικά που τελειώνουν σε /i/ στην Ονομαστική του ενικού γράφονται με «η». (κρατάνε το «η» σε όλες τις πτώσεις του ενικού) ζάχαρη, μύτη	
-οσύνη	καλοσύνη, δικαιοσύνη	
-τρια	μαθήτρια, φοιτήτρια, καθηγήτρια, αθλήτρια, πωλήτρια	
-ότητα	ποιότητα, ποσότητα, σοβαρότητα, ταυτότητα, θερμότητα, βεβαιότητα	
-ύτητα	ταχύτητα, βαρύτητα	
-αια	κεραία, σημαία, μαία	θέα, ιδέα, παρέα
-αινα	φάλαινα	
-ιά	βραδιά, ξενιτιά, καρδιά	λέξεις από ρήματα < -εύω (δουλειά < δουλεύω…)
-ία	σημασία, γωνία, ιστορία	λέξεις από ρήματα < -ευω (ερμηνεία < ερμηνεύω) λέξεις από επίθετα -ύς-εία/-ιά,-ύ (πλατεία <πλατύς-πλατιά-πλατύ)
-εια	αλήθεια, άδεια, βοήθεια, συνέπεια λέξεις από επίθετα -ης-ης-ες (συνέπεια < συνεπής-ής-ές)	άγνοια, διχόνοια, έννοια, δύσπνοια, διάρροια Εύβοια
-ίδα	πατρίδα, σελίδα, εφημερίδα	
-ίλα	μαυρίλα, κοκκινίλα	
-ισσα	γειτόνισσα, μαγείρισσα, βασίλισσα, μάγισσα	Λάρισα

Γράφω σωστά τα ουδέτερα ουσιαστικά

Τελειώνουν σε:	Κανόνας/παραδείγματα	Εξαιρέσεις
-ι	Όλα τα ουδέτερα ουσιαστικά που τελειώνουν σε /i/ στην Ονομαστική του ενικού γράφονται με «ι». (κρατάνε το «ι» σε όλες τις πτώσεις του ενικού) λουλούδι, κορίτσι, παιδί, αγόρι, σκυλί, τραγούδι	βράδυ (του βραδιού, τα βράδια, των βραδιών) δάκρυ, δίχτυ, στάχυ («υ» σε όλες τις πτώσεις και στους δύο αριθμούς) οξύ, δόρυ («υ» μόνο στην Ονομαστική και Αιτιατική ενικού)
-είο	τα ουσιαστικά που δείχνουν τόπο (σχολείο, γραφείο, φαρμακείο, καφενείο, ταμείο, ανθο**πωλείο**, βιβλιο**πωλείο**, κρεο**πωλείο** κ.ά.)	
-ητο	αυτοκίνητο, αλφάβητο	
-ιο	γέλιο, εστιατόριο, τετράδιο, σχέδιο	ισόγειο, υπόγειο
-ριο	εστιατόριο, βιβλιάριο, δολάριο	
-τήριο	εισιτήριο, κομμωτήριο, γυμναστήριο, εκδοτήριο, διαβατήριο, κτήριο	
-τήρι	ποτήρι, ανοιχτήρι	κεφαλοτύρι (…+τυρί)
-ίδι	ταξίδι, παιχνίδι	φρύδι, κρεμμύδι, καρύδι
-όνι	λεμόνι, πεπόνι, τιμόνι, εγγόνι, βαγόνι, σεντόνι	κυδώνι

Γλωσσάρι (αγγλικά, γαλλικά, γερμανικά)

ΣΤΑ ΕΛΛΗΝΙΚΑ	**ΣΤΑ ΑΓΓΛΙΚΑ**	**ΣΤΑ ΓΑΛΛΙΚΑ**	**ΣΤΑ ΓΕΡΜΑΝΙΚΑ**
αιτία, η	cause	la cause	der Grund
Αιτιατική, η	accusative (gramm.)	l'accusatif (gramm.)	der Akkusativ
ακολουθώ	to follow	suivre	folgen
αναλύω	to analyse	analyser	analysieren
αναφέρομαι	to refer to	se référer	sich beziehend auf; Bezug nehmend auf
ανεξάρτητος	independent	indépendant	unabhängig
ανήκω	to belong	appartenir à	gehören
αντίθεση, η	opposition	l'opposition	der Gegensatz
αντικατάσταση, η	replacement	le remplacement	der Tausch, der Austausch
αντικείμενο, το	object (gramm.)	l'objet (gramm.)	das Objekt
αντίστοιχος	corresponding	le correspondant	entsprechend
αντωνυμία, η	pronoun (gramm.)	le pronom (gramm.)	Pronomen
ανώμαλο	irregular	irrégulier	irregulär
Αόριστος, ο	simple past (gramm.)	le passé composé/simple (gramm.)	Vergangenheit, Präteritum
απαγόρευση, η	prohibition	la prohibition	das Verbot, die Untersagung
απίθανος	improbable	improbable	unwahrscheinlich
(αόριστο) άρθρο, το	(indefinite) article (gramm.)	l'article (indéfini) (gramm.)	unbestimmter Artikel
(οριστικό) άρθρο, το	article (definite) (gramm.)	l'article (défini) (gramm.)	bestimmter Artikel
αριθμητικά, τα	numerals (gramm.)	les adjectifs numéraux (gramm.)	das Zahlwort
αρσενικό, το	masculine (gramm.)	le masculin (gramm.)	männlich, Maskulinum
αφετηρία, η	starting point	le point de départ	der Ansatzpunkt , der Ausgangspunkt
άψυχος	inanimate	inanimé	leblos; unbelebt
Γενική, η	genitive	le génitif	Genitiv
γένος, το	gender (gramm.)	le genre (gramm.)	das Geschlecht
δηλώνω	to denote	indiquer	bezeichnen, kennzeichnen
διάζευξη, η	disjunction	la conjonction de l'alternative	die Disjunktion, die ODER-Verknüpfung
διάθεση, η	diathesis (gramm.)	le mode (gramm.)	die Diathese
διαλέγω	to choose	choisir	wählen
διάρκεια, η	duration	la durée	die Dauer
διαφέρω	to differ	se différencier	sich unterscheiden
δυνατότητα, η	possibility	la capacité	die Möglichkeit
έγκλιση, η	mood (gramm.)	le mode (gramm.)	die Aussageweise; der Modus
εκφράζω	to express	exprimer	ausdrücken
ελεύθερος	free/independent	libre/indépendant	frei/unabhängig
έμψυχος	animate	anime	lebend
εναντίωση, η	opposition	l'opposition	der Gegensatz
ενδοιασμός, ο	hesitation/dubitation	la réserve	der Zweifel
ενεργητική φωνή, η	active voice (gramm.)	la voix active (gramm.)	das Aktiv, die Tatform
Ενεστώτας, ο	present (simple & continuous) tense (gramm.)	le présent (gramm.)	Präsent
ενικός, ο	singular (gramm.)	le singulier (gramm.)	Singular, Einzahl
ενώνω	to connect	lier	verbinden
εξαίρεση, η	exception	l'exception	die Ausnahme

εξαιρούμαι	to be exempt	être une exception	eine Ausnahme sein
εξακολουθητικός	continuous	durable, continuel	Imperfekt
εξαρτημένος	dependent	dépendant	abhängig
Επίθετο, το	adjective	l'adjectif	Adjektiv, Eigenschaftswort
επιθυμία, η	the wish	le désir	der Wunsch
επιλέγω	to choose	choisir	wählen
Επίρρημα,το	adverb (gramm.)	l'adverbe (gramm.)	Adverb
ευθεία ερώτηση, η	direct question (gramm.)	la question directe (gramm.)	direkte Frage
θηλυκό, το	feminine	le féminin	weiblich, Femininum
ιδιότητα, η	property	la propriété	Eigenschaften
ισχύω	to be valid / to be in force	être valable	es gilt
καθημερινός λόγος, ο	everyday speech	la langue courante	Alltagssprache
κανόνας, ο	rule	la règle	die Regel
κατάληξη, η	ending, suffix (gramm.)	la désinence (gramm.)	die Wortendung
κατεύθυνση, η	direction	la direction	die Richtung
κατηγορούμενο, το	predicate (gramm.)	le prédicatif (gramm.)	das Prädikat, die Satzaussage
Κλητική, η	vocative (gramm.)	le vocatif (gramm.)	Vokativ, Anredefall
κλίνω	to inflect / to decline (gramm.)	conjuguer/décliner (gramm.)	konjugieren
κλιτικό, το	clitic, weak form of a personal pronoun (gramm.)	la forme faible d' un pronom personel (gramm.)	Personalpronomen (schwach)
κτήση, η	possession	la possession	Eigentum
κύριο όνομα, το	proper noun	le nom propre	Hauptname
λειτουργία, η	function	la fonction	die Funktion
μέλλον, το	future	le futur	Futur, Zukunft
Μέλλοντας, ο	future tense (gramm.)	le futur (gramm.)	Futur, Zukunft
(Συνεχής) Μέλλοντας, ο	future continuous/imperfective	le futur qui indique continuité (gramm.)	kontinuierliches Futur
(Συντελεσμένος) Μέλλοντας, ο	future perfect (gramm.)	le futur antérieur (gramm.)	Futurum exactum, Vorzukunft, zweites Futur
μέσο, το	means/instrument	le moyen	Mittel
μετακινώ	to move	déplacer	verlegen, verschieben
μετοχή, η	participle & gerund (gramm.)	le participe, le gérondif (gramm.)	Partizip
μορφή, η	form	la forme	die Form
ολοκληρώνομαι	to be completed	se compléter	vervollständigen
ομαλός	regular	régulier	regulär
Ονομαστική, η	nominative (gramm.)	le nominatif (gramm.)	Nominativ
Οριστική, η	Indicative (gramm.)	l'indicatif (gramm.)	Indikativ
Ουδέτερο, το	neuter	le neutre	Neutrum
Ουσιαστικό, το	noun (gramm.)	le nom substantif (gramm.)	der Name
παθητική φωνή, η	passive voice (gramm.)	la voix passive (gramm.)	Passiv, passive Form
παραθετικά, τα	degrees of comparison (gramm.)	les degrés de comparaison (gramm.)	Grade des Vergleiches
Παρακείμενος, ο	present perfect (gramm.)	le passé composé (gramm.)	Perfekt
παράταξη, η	parataxis (gramm.)	la parataxe (gramm.)	Parataxe, Parataxis
Παρατατικός, ο	past continuous/imperfective (gramm.)	l'imparfait (gramm.)	Imperfect
παραχώρηση, η	concession	la concession	Konzession
παρελθόν, το	past	le passé	die Vergangenheit
παρομοιάζω	to liken	comparer	vergleichen

παρόν, το	present	le présent	die Gegenwart
περιεχόμενο, το	content	le contenu	der Inhalt
περίπτωση, η	case	le cas	der Fall
πιθανότητα, η	possibility	la possibilité	die Möglichkeit
(πλάγια) ερώτηση, η	indirect question	la question indirecte	indirekte Frage
πληθυντικός, ο	plural (gramm.)	le pluriel (gramm.)	Plural, Mehrzahl
ποσότητα, η	quantity	la quantité	die Menge
προέλευση, η	origin	l'origine	die Herkunft
πρόθεση, η (γραμμ.)	preposition (gramm.)	la préposition (gramm.)	Präposition, Verhältniswort
προορισμός, ο	destination	la destination	die Bestimmung
προσδιορίζω	to modify	déterminer	bestimmen
προσδιορισμός, ο	modifier (gramm.)	la détermination (gramm.)	die Bestimmung
προσθέτω	to add	ajouter	zufügen, hinzufügen
Προστακτική, η	imperative (gramm.)	l'Impératif (gramm.)	die Befehlsform; der Imperativ
πρόσωπο, το	person	la personne	die Person
(δευτερεύουσα) πρόταση, η	(subordinary) clause (gramm.)	la proposition (subordonnée) (gramm.)	der Nebensatz
(κύρια) πρόταση, η	(main) clause (gramm.)	la proposition (principale) (gramm.)	der Hauptsatz
προτροπή, η	encouragement, exhortation	l'incitation	die Ermutigung, die Ermunterung, die Aufforderung
πτώση, η	case (gramm.)	le cas (gramm.)	der Fall, der Kasus
Ρήμα, το	verb	le verbe	Das verb
ρίζα, η	stem/root (gramm.)	la racine (gramm.)	das Stammwort
σειρά, η	sequence	l'ordre	die Reihe, die Folge
σκοπός, ο	purpose/goal	le but	der Zweck, die Absicht,
σταθερός	stable	stable	stabil
στέρηση, η	deprivation	la privation	die Deprivation
στιγμιαίος	punctual, momentary	instantané	momentan
στοιχείο, το	element	l'élément	das Element
συγκεκριμένος	specific	spécifique	spezifisch
συγκρίνω	to compare	comparer	vergleichen
σύγκριση, η	comparison	la comparaison	der Vergleich
συγκριτικός, ο	comparative (gramm.)	le comparatif (gramm.)	Komparativ, Steigerungsform
συζυγία, η	conjugation (gramm.)	la conjugaison (gramm.)	die Konjugation
συλλαβή, η	syllable	la syllabe	die Silbe
συμπληρώνω	to complete	compléter	ergänzen; vervollständigen
συμφωνία, η	agreement	l'accord	die Übereinstimmung
σύμφωνο, το	consonant	la consonne	der Konsonant
σύνδεσμος, ο	conjunction (gramm.)	la conjonction (gramm.)	die Konjunktion; das Bindewort
συνδέω	to connect	lier	verbinden
συνδυάζω	to combine	combiner	kombinieren
συνοδεία, η	escort	l'accompagnement	die Begleitung
σύνολο, το	set	l'ensemble	die Gruppe
συνοπτικός	perfective/brief	bref, synoptique	der Perfektiv
Συντελεσμένος (Μέλλοντας), ο	future perfect (gramm.)	le futur antérieur (gramm.)	der Perfekt
σχηματίζω	to form	former	bilden

ταυτόχρονος	simultaneous	simultané	gleichzeitig
τονίζω	to put an accent on (gramm.)	mettre l'accent sur (gramm.)	akzentuieren
υλικό, το	material	la matière	der Inhalt
υπεράσπιση, η	support	la défense	die Verteidigung, die Unterstützung
(απόλυτος) υπερθετικός, ο	(absolute) superlative (gramm.)	le superlatif (absolu) (gramm.)	absoluter Superlativ
(σχετικός) υπερθετικός, ο	superlative (gramm.)	le superlatif (gramm.)	der Superlativ
Υπερσυντέλικος, ο	past perfect (gramm.)	le plus que parfait (gramm.)	Plusquamperfekt
υπόθεση, η (γραμμ.)	the condition (gramm.)	l'hypothèse / la présomption (gramm.)	die Bedingug (gramm.)
υποκείμενο, το	subject (gramm.)	le sujet (gramm.)	das Subject (gramm.)
Υποτακτική, η	subjunctive & infinitive (gramm.)	le subjonctif & l'infinitif (gramm.)	Konjunktiv / Infinitiv
(επίσημο) ύφος , το	formal style	le style formel	formale Ausdrucksweise;
φωνήεν, το	vowel	la voyelle	der Vokal, der Selbstlaut
χρήση, η	use	l'utilisation	die Verwendung
χρησιμοποιώ	to use	utiliser	benutzen
χρονική βαθμίδα, η	temporal reference	la référence temporelle	die Zeitbestimmung, Umstandsangabe der Zeit
χρόνος, ο	tense (gramm.)	le temps (gramm.)	die Zeitform

συλλαβή, η	la sílaba	la sillaba	слог	مقطع صوتي
συμπληρώνω	completar, rellenar	completare	добавлять	أكمل
συμφωνία, η	el acuerdo	l' accordo	договор	إتفاق
σύμφωνο, το	la consonante	il consonante	согласная (грамм.)	الحرف الساكن
σύνδεσμος, ο	la conjunción (gram.)	il congiunzione	союз (грамм.)	الرابط
συνδέω	unir	collegare	соединять	اربط
συνδυάζω	combinar	combinare	подбирать, сочетать	أدمج/أضم
συνοδεία, η	el acompañamiento	la scorta	сопровождение	المرافقة
σύνολο, το	el total, el conjunto	l' insieme	итог, общее колличество, сумма	المجموع الكلي
συνοπτικός	sinóptico, conciso	riassuntivo, sinottico	краткий	الموجز
Συντελεσμένος (Μέλλοντας), ο	el futuro perfecto (gram.)	il futuro anteriore (gramm.)	перфект	تام
σχηματίζω	formar	formare	образовывать	أشكل
ταυτόχρονος	simultáneo	simultaneo	одновременный	المتزامنة
τονίζω	acentuar (gram.)	accentare	поставить ударение	أتشدد
υλικό, το	el material	la materia	материал	أداة
υπεράσπιση, η	la defensa	la difesa	защита	دفاع
(απόλυτος) υπερθετικός, ο	el superlativo (absoluto) (gram.)	il superlativo (assoluto) (gramm.)	превосходная степень (самый лёгкий, легчайщий)	تفضيل (الأفضل)
(σχετικός) υπερθετικός, ο	el superlativo (relativo) (gram.)	il superlativo (gramm.)	превосходная степень (очень лёгкий)	تفضيل (الأفضل من)
Υπερσυντέλικος, ο	el pretérito pluscuamperfecto (gram.)	il trapassato prossimo (gramm.)	давно прошедшее время	ماضي تام
υπόθεση, η (γραμμ.)	la hipótesis, la suposición	l' ipotesi (gramm.)	условие, предположение	الشرطي
υποκείμενο, το	el sujeto (gram.)	il soggetto (gramm.)	подлежащее (грамм)	موضوع/فاعل
Υποτακτική, η	el subjuntivo & el infinitivo (gram.)	Il congiuntivo & l' infinito	сослагательное наклонение	صيغة الشرط
(επίσημο) ύφος , το	el estilo (formal)	la forma di cortesia	официальный тон	الرسمي طريقة تعبير
φωνήεν, το	la vocal	la vocale	гласный звук	الصوتي حرف علة
χρήση, η	el uso	l'uso	использование	استخدام
χρησιμοποιώ	usar	usare	использовать	استعمل
χρονική βαθμίδα, η	la referencia temporal	il riferimento temporale	категория времени	درجة الزمن
χρόνος, ο	el tiempo (gram.)	il tempo (gramm.)	время (грамм.)	الزمن

Βιβλιογραφία

- Αντωνίου Μαρία, Μαρία Γαλαζούλα, Σταυρούλα Δημητράκου & Αναστασία Μαγγανά (2010). *Μαθαίνουμε Ελληνικά: Ακόμα καλύτερα! Εγχειρίδιο Διδασκαλίας για το Επίπεδο Β'.* Αθήνα: Εκδόσεις Κέδρος.
- Αρβανιτάκης Κλεάνθης & Φρόσω Αρβανιτάκη (2002). *Επικοινωνήστε Ελληνικά.* Αθήνα: Εκδόσεις Δέλτος.
- Αρβανιτάκης Κλεάνθης & Φρόσω Αρβανιτάκη (2006). *Επικοινωνήστε Ελληνικά 2.* Αθήνα: Εκδόσεις Δέλτος.
- Αρβανιτάκης Κλεάνθης Φρόσω Αρβανιτάκη (2008). *Επικοινωνήστε Ελληνικά 3.* Αθήνα: Εκδόσεις Δέλτος.
- Βαζάκα Μάρθα & Μαρίνα Κοκκινίδου (2011). *Εμβαθύνοντας στα ελληνικά.* Αθήνα: Εκδόσεις Μεταίχμιο.
- Βαρλοκώστα Σπυριδούλα & Λήδα Τριανταφυλλίδου (2003). *Επίπεδα Γλωσσομάθειας στην Ελληνική ως Δεύτερη Γλώσσα.* Κέντρο Διαπολιτισμικής Αγωγής (ΚΕ.Δ.Α.), Πανεπιστήμιο Αθηνών.
- Γκαρέλη Έφη, Έφη Καπούλα, Στέλα Νεστοράτου, Ευαγγελία Πρίτση, Νίκος Ρουμπής & Γεωργία Συκαρά. *Ταξίδι στην Ελλάδα. Νέα Ελληνικά για ξένους. Επίπεδα Α1 & Α2.* Αθήνα: Εκδόσεις Γρηγόρη.
- Δεμίρη – Προδρομίδου Ελένη & Ρούλα Καμαριανού – Βασιλείου (2002-2003). *Νέα Ελληνικά για μετανάστες, πρόσφυγες, παλιννοστούντες και ξένους και «καλή επιτυχία», τόμ. Α', τόμ. Β' & τόμ. Γ'.* Αθήνα: Εκδόσεις Μεταίχμιο.
- Διατμηματικό Πρόγραμμα Διδασκαλίας της Νέας Ελληνικής ως Ξένης Γλώσσας (1998). *Αναλυτικό Πρόγραμμα για τη Διδασκαλία της Νέα Ελληνικής ως Ξένης Γλώσσας σε Ενηλίκους [Επίπεδα 1 και 2: Εισαγωγικό και Βασικό].* Αθήνα: Πανεπιστήμιο Αθηνών.
- Διατμηματικό Πρόγραμμα Διδασκαλίας της Νέας Ελληνικής ως Ξένης Γλώσσας (1998). *Θέματα Νεοελληνικής Σύνταξης: Θεωρία Ασκήσεις. Αθήνα*: Πανεπιστήμιο Αθηνών.
- Holton David, Peter Mackridge & Irene Philippaki – Warburton (2004). *Greek: An Essential Grammar of the Modern Language.* London-New York: Routledge.
- Holton David, Peter Mackridge & Ειρήνη Φιλιππάκη – Warburton (1999). *Γραμματική της ελληνικής γλώσσας,* [ελλ. μτφρ. Β. Σπυρόπουλος]. Αθήνα: Εκδόσεις Πατάκης.
- Ιακώβου Μαρία & Σπυριδούλα Μπέλλα (2004). *Αναλυτικό πρόγραμμα για τη διδασκαλία της νέας ελληνικής ως ξένης γλώσσας σε ενηλίκους: προχωρημένο επίπεδο.* Αθήνα: Εθνικό και Καποδιστριακό Πανεπιστήμιο Αθηνών.
- Ιορδανίδου Άννα (1995). *Τα ρήματα της Νέας Ελληνικής.* Αθήνα: Εκδόσεις Πατάκης.
- Κλαίρης Χρήστος και Γεώργιος Μπαμπινιώτης (σε συνεργασία με τους Αμαλία Μόζερ, Αικατερίνη Μπακάκου – Ορφανού, Σταύρο Σκοπετέα) (2005). *Γραμματική της νέας ελληνικής: δομολειτουργική – επικοινωνιακή.* Αθήνα: Ελληνικά Γράμματα.
- Κατσιμαλή Γ., Δ. Παπαδοπούλου, Ε. Θωμαδάκη, Ε. Βασιλάκη, Μ. Αντωνίου (2003). *Κλειδιά της Ελληνικής Γραμματικής (Keys to Greek Grammar).* Ρέθυμνο: Ε.ΔΙΑ.Μ.ΜΕ.
- Κοντός Παναγιώτης, Μαρία Ιακώβου, Σπυριδούλα Μπέλλα, Αμαλία Μόζερ & Δέσποινα Χειλά-Μαρκοπούλου (2002). *Αναλυτικό Πρόγραμμα Διδασκαλίας σε Ενηλίκους: Επίπεδο Επάρκειας.* Αθήνα: Πανεπιστήμιο Αθηνών.
- Μπαμπινιώτης Γεώργιος (2002). *Λεξικό της Νέας Ελληνικής Γλώσσας,* [β' έκδ.]. Αθήνα: Κέντρο Λεξικολογίας.
- Μπαμπινιώτης Γεώργιος (σε συνεργασία με τους: Α. Αναγνωστοπούλου, Ει. Αργυρούδη, Μ. Κολυβά, Ν. Μήτση) (2003). *Ελληνική Γλώσσα. Εγχειρίδιο Διδασκαλίας της Ελληνικής ως Δεύτερης (Ξένης) Γλώσσας,* (τρίτη έκδοση, αναθεωρημένη). Αθήνα: Ίδρυμα Μελετών Λαμπράκη: Σειρά Εκπαιδευτικών Εκδόσεων.
- Παθιάκη Ειρήνη, Γιώργος Σιμόπουλος & Γιώργος Τουρλής (2012). *Ελληνικά Β'. Μέθοδος εκμάθησης της ελληνικής ως ξένης γλώσσας.* Αθήνα: Εκδόσεις Πατάκη.
- Παντελόγλου Λέλια (2009). *Μυστικά Ορθογραφίας Α'. Μαθήματα για την Ελληνική Ορθογραφία.* Αθήνα: Εκδόσεις Δέλτος.
- Σιμόπουλος Γιώργος, Ειρήνη Παθιάκη, Ρίτα Κανελλοπούλου & Αγλαΐα Παυλοπούλου (2010). *Ελληνικά Α'. Μέθοδος εκμάθησης της ελληνικής ως ξένης γλώσσας.* Αθήνα: Εκδόσεις Πατάκη.
- Τζάρτζανος Αχιλλέας (1989). *Νεοελληνική Σύνταξις (της κοινής δημοτικής),* β' έκδ., [α' έκδ. 1946, 1953]. Θεσσαλονίκη: Εκδόσεις Κυριακίδης.
- Τριανταφυλλίδης Μανόλης: Αριστοτέλειο Πανεπιστήμιο Θεσσαλονίκης. Ινστιτούτο Νεοελληνικών Σπουδών. Ίδρυμα Μανόλης Τριανταφυλλίδης (1996). *Νεοελληνική Γραμματική (της Δημοτικής),* [ανατ. εκδ. 1941 με διορθώσεις]. Θεσσαλονίκη: Α.Π.Θ.. Ινστιτούτο Νεοελληνικών Σπουδών. Ίδρυμα Μανόλης Τριανταφυλλίδης.
- Φιλιππάκη-Warburton Ειρήνη, Μιχάλης Γεωργιαφέντης, Γεώργιος Κοτζόγλου & Μαργαρίτα Λουκά (2011). *Γραμματική Ε' και Στ' Δημοτικού.* Αθήνα: Οργανισμός Εκδόσεως Διδακτικών Βιβλίων.
- Υπόθεση Γλώσσα. Ελληνικά ως Δεύτερη Γλώσσα. Γραμματική και Ασκήσεις για παιδιά και νέους (2003). *Επίθετα.* Αθήνα: Εθνικό και Καποδιστριακό Πανεπιστήμιο Αθηνών. Κέντρο Διαπολιτισμικής Αγωγής.
- Υπόθεση Γλώσσα. Ελληνικά ως Δεύτερη Γλώσσα. Γραμματική και Ασκήσεις για παιδιά και νέους (2003). *Το Ρήμα στο παρελθόν. 2. ρήματα σε –μαι.* Αθήνα: Εθνικό και Καποδιστριακό Πανεπιστήμιο Αθηνών. Κέντρο Διαπολιτισμικής Αγωγής.